D0361376

PÉTRONILLE

Amélie Nothomb est née à Kobé en 1967. Depuis son premier roman, *Hygiène de l'assassin*, elle s'est imposée comme
un écrivain singulier enchaînant les succès en librairie et
les récompenses littéraires, se renouvelant sans cesse. En
1999, elle reçoit le Grand prix de l'Académie française pour
Stupeur et tremblements, et en 2008 le Grand prix Giono
pour l'ensemble de son œuvre. Ses romans sont traduits
dans une quarantaine de langues.

AMÉLIE NOTHOMB

Pétronille

ROMAN

ALBIN MICHEL

© Éditions Albin Michel, 2014.
ISBN : 978-2-253-04541-0 – 1re publication LGF

L'ivresse ne s'improvise pas. Elle relève de l'art, qui exige don et souci. Boire au hasard ne mène nulle part.

Si la première cuite est si souvent miraculeuse, c'est uniquement grâce à la fameuse chance du débutant : par définition, elle ne se reproduira pas.

Pendant des années, j'ai bu comme tout le monde, au gré des soirées, des choses plus ou moins fortes, dans l'espoir d'atteindre la griserie qui aurait rendu l'existence acceptable : la gueule de bois a été mon principal résultat. Je n'ai pourtant jamais cessé de soupçonner qu'il y avait un meilleur parti à tirer de cette quête.

Mon tempérament expérimental a pris le dessus. À l'exemple des chamans amazoniens qui s'infligent des diètes cruelles avant de mâchouiller une plante inconnue dans le but d'en découvrir les pouvoirs, j'ai eu recours à la technique d'investigation la plus vieille du monde : j'ai jeûné. L'ascèse est un moyen instinctif de créer en soi le vide indispensable à la découverte scientifique.

Rien ne me désole plus que ces gens qui, au moment de goûter un grand vin, exigent de « manger un truc » : c'est une insulte à la nourriture et plus encore à la boisson. « Sinon, je deviens pompette », bredouillent-ils, aggravant leur cas. J'ai envie de leur suggérer d'éviter de regarder de jolies filles : ils risqueraient d'être charmés.

Boire en voulant éviter l'ivresse est aussi déshonorant que d'écouter de la musique sacrée en se protégeant contre le sentiment du sublime.

Donc, j'ai jeûné. Et j'ai rompu le jeûne avec un veuve-clicquot. L'idée était de commencer par un bon champagne, la Veuve ne constituait pas un mauvais choix.

Pourquoi du champagne ? Parce que son ivresse ne ressemble à nulle autre. Chaque alcool possède une force de frappe particulière ; le champagne est l'un des seuls à ne pas susciter de métaphore grossière. Il élève l'âme vers ce que dut être la condition de gentilhomme à l'époque où ce beau mot avait du sens. Il rend gracieux, à la fois léger et profond, désintéressé, il exalte l'amour et confère de l'élégance à la perte de celui-ci. Pour ces motifs, j'avais pensé qu'on pouvait tirer de cet élixir un parti encore meilleur.

Dès la première gorgée, j'ai su que j'avais raison : jamais le champagne n'avait été à ce point exquis. Les trente-six heures de jeûne avaient affûté mes papilles gustatives qui décelaient les moindres saveurs de l'alliage et tressaillaient d'une volupté neuve, d'abord virtuose, bientôt brillante, enfin transie.

J'ai continué courageusement à boire et, à mesure que je vidais la bouteille, j'ai senti que l'expérience changeait de nature : ce que j'atteignais méritait moins le nom d'ivresse que ce que l'on appelle, dans la pompe scientifique d'aujourd'hui, un « état augmenté de conscience ». Un chaman aurait qualifié cela de transe, un toxicomane aurait parlé de trip. J'ai commencé à avoir des visions.

Il était 18 h 30, l'obscurité s'installait autour de moi. J'ai regardé vers le lieu le plus noir et j'ai vu et entendu des bijoux. Leurs éclats multiples bruissaient de pierres précieuses, d'or et d'argent. Une reptation serpentine les animait, ils n'appelaient pas les cous, les poignets et les doigts qu'ils auraient dû orner, ils se suffisaient à eux-mêmes et proclamaient l'absolu de leur luxe. À mesure qu'ils s'approchaient de moi, je sentais leur froid de métal. J'y puisais une jouissance de neige, j'aurais voulu pouvoir enfouir mon visage en ce trésor glacé. Le moment le plus sidérant fut celui où ma main éprouva pour de bon le poids d'une gemme au creux de la paume.

J'ai poussé un cri qui a anéanti l'hallucination. J'ai bu une nouvelle flûte et j'ai compris que le breuvage provoquait des visions qui lui étaient apparentées : l'or de sa robe avait coulé en bracelets, les bulles en diamants. Au froid de l'argent répondait le glacé de la gorgée.

L'étape suivante a été la pensée, pour autant que l'on puisse qualifier de telle le flux qui s'est emparé de mon esprit. Aux antipodes des ruminations qui peuvent l'engluer, il s'est mis à virevolter, à pétiller, à fulminer des choses légères : c'était comme s'il cherchait à me charmer. Cela lui ressemble si peu que j'ai ri. J'ai tellement l'habitude qu'il m'adresse des récriminations, à l'exemple d'un locataire indigné de la mauvaise qualité du logement.

D'être soudain une si agréable société pour moi-même m'a ouvert des horizons. J'aurais aimé être de si bonne compagnie pour quelqu'un. Qui ?

J'ai passé en revue mes connaissances, parmi lesquelles il ne manquait pas de gens sympathiques. Je n'en ai repéré aucune qui convienne. Il aurait fallu un être qui accepte de se plier à cette ascèse et de boire avec une ferveur équivalente. Je n'avais pas la prétention de croire que mes divagations auraient pu divertir un pratiquant de la sobriété.

Entre-temps, j'avais vidé la bouteille et j'étais fin saoule. Je me suis levée et j'ai essayé de marcher : mes jambes s'émerveillaient qu'en temps normal une danse si compliquée n'exige aucun effort. J'ai titubé jusqu'au lit et je m'y suis effondrée.

Cette dépossession était un délice. J'ai compris que l'esprit du champagne approuvait ma conduite : je l'avais accueilli en moi comme un hôte de marque, je l'avais reçu avec une déférence extrême, en échange de quoi il me prodiguait ses bienfaits à foison ; il n'était pas jusqu'à ce naufrage final qui ne soit une grâce. Si Ulysse avait eu la noble imprudence de ne pas s'attacher au mât, il m'aurait suivie là où m'entraînait l'ultime pouvoir du breuvage, il aurait coulé avec moi au fond de la mer, bercé par le chant blond des sirènes.

Je ne sais combien de temps j'ai séjourné dans ces abysses, en un stade intermédiaire entre le sommeil et la mort. Je m'attendais à un réveil comateux. Je me trompais. Au sortir de cette plongée, j'ai découvert une volupté autre encore : comme confite dans le sucre, j'éprouvais puissamment les moindres détails du confort qui m'environnait. Le contact des vêtements avec la peau me faisait tressaillir, la sensation du lit qui recevait ma faiblesse propageait une promesse d'amour et de compréhension jusqu'à la moelle de mes os. Mon esprit marinait dans un bain de départ d'idées, au sens étymologique : une idée est d'abord quelque chose que l'on voit.

Je voyais donc que j'étais Ulysse après le naufrage, échoué sur une plage indéterminée, et avant d'y élaborer un plan je savourais l'étonnement d'avoir survécu, de posséder des organes intacts et un cerveau pas plus atteint qu'avant, et de gésir sur la partie solide de la planète. Mon appartement parisien devenait le rivage inconnu et je résistais au besoin d'aller aux toilettes, pour garder plus longtemps la curiosité de la mystérieuse peuplade que je ne manquerais pas d'y croiser.

À la réflexion, c'était l'unique imperfection de mon état : j'aurais voulu pouvoir le partager avec quelqu'un. Nausicaa ou le Cyclope m'auraient convenu. L'amour ou l'amitié seraient des caisses de résonance idéales à tant d'émerveillement.

« Il me faut un compagnon ou une compagne de beuverie », ai-je pensé. J'ai passé en revue les gens que je connaissais à Paris, où je venais à peine de m'installer. La liste courte de mes relations comportait soit des personnes très sympathiques, mais qui ne buvaient pas de champagne, soit de vrais buveurs de champagne qui ne m'inspiraient guère de sympathie.

J'ai réussi à me rendre aux toilettes. De retour, j'ai regardé par la fenêtre la maigre vue de Paris qui s'offrait à moi : des piétons foulaient les ténèbres de la rue. « Ce sont des Parisiens, ai-je songé à la manière d'une entomologiste. Il me paraît impossible que parmi tant de gens je ne puisse trouver l'élu ou l'élue. Dans la Ville lumière, il doit y avoir quelqu'un avec qui boire la lumière. »

J'étais une romancière de trente ans qui débarquait à Paris. Les libraires m'invitaient à dédicacer chez eux, je ne refusais jamais. Les gens affluaient pour me voir, je les accueillais avec le sourire. « Elle est gentille », disait-on.

En vérité, je pratiquais une chasse passive. Proie des curieux, je les regardais tous en me demandant ce que chacun vaudrait comme compagnon de beuverie. Prédation combien hasardeuse, car enfin, à quel signe détecte-t-on un tel individu ?

Déjà, le mot « compagnon » n'allait pas, qui a pour étymologie le partage du pain. Il me fallait un convignon ou une convigne. Certains libraires avaient l'heureuse initiative de me servir du vin, parfois même du champagne, ce qui me permettait de jauger dans l'œil des gens l'étincelle du désir. J'aimais que l'on ait pour mon verre un regard de convoitise, pourvu qu'il ne fût pas trop appuyé.

L'exercice de la dédicace repose sur une ambiguïté fondamentale : personne ne sait ce que l'autre veut. Combien de journalistes m'ont-ils posé cette question : « Qu'attendez-vous de ce genre de rencontres ? » À mon sens, l'interrogation est encore plus pertinente pour la partie adverse. À part les rares fétichistes pour qui la signature de l'auteur compte réellement, que viennent chercher les amateurs d'autographes ? Pour ma part, j'éprouve une curiosité profonde envers ceux qui viennent me voir. J'essaie de savoir qui ils sont et ce qu'ils veulent. Ce point n'aura jamais fini de me fasciner.

Aujourd'hui, la question est un peu moins mystérieuse. Je ne suis pas la seule à avoir observé que les plus jolies filles de Paris font la queue devant moi, et je remarque avec amusement que beaucoup de gens fréquentent mes dédicaces pour draguer ces beautés. Les circonstances sont idéales, car je dédicace à une lenteur accablante, les séducteurs ont donc tout leur temps.

Mais mon récit se situe fin 1997. À cette époque, le phénomène sautait moins aux yeux, ne serait-ce que parce que j'avais alors moins de lecteurs, diminuant ipso facto la probabilité d'y inclure des créatures de rêve. C'était des temps héroïques. Les libraires me servaient peu de champagne. Je n'avais pas encore de bureau chez mon éditeur. Je repense à cette période avec le même effroi ému que notre espèce quand elle se remémore la préhistoire.

Au premier regard, je la trouvai si jeune que je la pris pour un garçon de quinze ans. Cette juvénilité était confirmée par l'intensité exagérée des yeux : elle me dévisageait comme si j'avais été le squelette du glyptodon du Muséum du Jardin des Plantes.

Je suis souvent lue par des adolescents. Quand il s'agit d'une lecture imposée par le lycée, c'est d'un intérêt modéré. Lorsqu'un môme me lit de sa propre initiative, c'est toujours fascinant. Aussi accueillis-je le garçon avec un enthousiasme non feint. Il était seul, ce qui prouvait qu'aucun professeur ne l'envoyait.

Il me tendit un exemplaire du *Sabotage amoureux*. Je l'ouvris à la page de garde et prononçai la formule rituelle :

— Bonsoir. C'est à quel nom ?

— Pétronille Fanto, répondit une voix peu sexuée, cependant plus féminine que masculine.

Je sursautai, moins de découvrir le véritable sexe de l'individu que d'apprendre son identité.

— C'est vous ?! m'écriai-je.

Combien de fois ai-je vécu ce moment en dédicace : voir apparaître devant moi une personne avec qui je corresponds. Le choc est toujours violent. Passer d'une rencontre de papier à une rencontre de chair et d'os, c'est changer de dimension. Je ne sais même pas si c'est passer de la deuxième à la troisième dimension, parce que c'est peut-être le contraire. Souvent, voir le correspondant en vrai, c'est régresser, rejoindre la platitude. Et ce qui est terrible, c'est que c'est irrémédiable : si l'apparence de l'autre, pour Dieu sait quel motif, ne convient pas à l'altitude d'une correspondance, celle-ci n'atteindra plus jamais son niveau. On ne pourra ni l'oublier ni en faire abstraction. Du moins, moi, je ne le peux pas. C'est absurde, car ces échanges ne visent pas à la galanterie. L'erreur serait de croire que le physique compterait seulement en amour. Pour la majorité des gens, à laquelle j'appartiens, le physique compte en amitié et

18

même pour les relations les plus élémentaires. Je ne parle pas ici de beauté ni de laideur, je parle de cette chose si vague et si importante que l'on nomme physionomie. Au premier coup d'œil, il y a des êtres qu'on aime et des malheureux qu'on ne peut pas encadrer. Le nier serait une injustice supplémentaire.

Bien sûr, cela peut évoluer : il y a des gens dont l'apparence rebute mais qui sont si formidables qu'on va pouvoir s'y habituer, voire apprendre à apprécier leur tête. Et l'inverse se vérifie : des êtres au physique avantageux vont nous paraître peu à peu sans charme si leur personnalité nous déplaît. Il n'empêche qu'il faut composer avec cette donnée de départ. Et l'instant de la rencontre est celui où l'on prend si soudain la mesure du corps de l'autre.

— C'est moi, répondit Pétronille.

— Je ne vous imaginais pas comme ça, ne pus-je m'empêcher de dire.

— Comment m'imaginiez-vous ? demanda-t-elle.

Suite à ma déclaration idiote, il était inévitable qu'elle me pose cette question. Or je ne l'avais pas réellement imaginée. Quand on correspond avec quelqu'un, on se construit non pas une image mais une intuition confuse de l'apparence du destinataire. Pétronille Fanto m'avait envoyé, pendant les trois mois précédents, deux ou trois lettres manuscrites dans lesquelles elle ne m'avait pas dit son âge. Elle m'avait écrit des choses si profondes et si ténébreuses que j'avais pensé avoir affaire à une personne vieillissante. Et je me retrouvais nez à nez avec une adolescente au regard de piment rouge.

— Je vous croyais plus âgée.

— J'ai vingt-deux ans, dit-elle.

— Vous avez l'air plus jeune.

Elle leva les yeux au ciel avec un agacement qui me donna envie de rire.

— Que faites-vous dans la vie ?

— Étudiante, dit-elle – et, sans doute pour couper court à la question suivante, elle ajouta : Je fais un master en littérature élisabéthaine. J'écris un mémoire sur un contemporain de Shakespeare.

— Admirable ! Quel contemporain de Shakespeare ?

— Vous ne le connaissez sûrement pas, répondit-elle avec aplomb.

J'éclatai de rire.

— Et vous trouvez le temps de lire mes livres, entre ceux de Marlowe et ceux de John Ford ?

— Il faut bien s'amuser.

— J'aime être votre divertissement, dis-je en guise de conclusion.

Je lui aurais volontiers parlé plus longtemps, mais elle n'était pas la dernière de la file. La rencontre de dédicace doit être brève, ce qui s'avère le plus souvent libérateur. J'inscrivis quelques mots sur la page de titre de son exemplaire du *Sabotage amoureux*. Aucune idée de ce que je pus écrire. Sauf exception, ce qui compte pour moi dans une séance de dédicaces, ce n'est pas la dédicace.

Il y a deux attitudes possibles chez ceux à qui je viens de signer un livre : il y a ceux qui partent avec leur butin et ceux qui se rangent sur le côté et me regardent jusqu'au bout de la séance. Pétronille resta et m'observa. J'eus l'impression qu'elle voulait me consacrer un documentaire animalier.

C'était dans cette merveilleuse et minuscule librairie du XVIIe arrondissement, L'Astrée, 69, rue de Lévis. Michèle et Alain Lemoine, comme de coutume, recevaient l'écrivain et les lecteurs avec une gentillesse désarmante. Comme il faisait déjà froid en cette soirée de fin octobre, ils servaient à tous un verre de vin chaud. Je me délectais du mien et je remarquai que Pétronille ne dédaignait pas le sien.

Elle avait vraiment l'apparence d'un garçon de quinze ans : même ses longs cheveux

retenus en un catogan étaient ceux d'un ado-
lescent.

Débarqua un photographe professionnel
qui commença à me canarder sans me demander mon avis. Afin de ne pas m'irriter, je fei-
gnis de ne pas m'apercevoir de son manège et
continuai à rencontrer mes lecteurs. Bientôt,
le malotrus ne se contenta plus d'être ignoré
et fit aux gens le geste signifiant qu'ils devaient
s'écarter. La fumée commença à me sortir par
les oreilles et j'intervins :

— Monsieur, je suis ici pour mes lecteurs et
non pour vous. Donc, vous n'avez pas à donner d'ordres à qui que ce soit.

— Je travaille pour votre gloire, dit le syco-
phante en continuant son shooting.

— Non, vous travaillez pour votre argent
et sans aucune politesse. Vous avez déjà pris
beaucoup de photos. À présent, c'est terminé.

— C'est une atteinte à la liberté de la
presse ! vociféra celui qui prouvait ainsi sa
véritable nature de paparazzi.

Michèle et Alain Lemoine étaient épouvan-
tés de ce qui se déroulait dans leur librairie au
nom de roman précieux et n'osaient réagir.
Ce fut alors que Pétronille attrapa l'individu
d'une main par la nuque et l'entraîna à l'extérieur avec une fermeté sans réplique.

Je ne sus jamais exactement ce qui se passa mais je ne revis pas le mitrailleur, et aucune de ses photos ne fut repérable dans la presse.

Personne ne commenta l'incident. Je continuai à dédicacer avec des sourires. Ensuite, les libraires, quelques fidèles clients et moi, nous achevâmes le vin chaud en bavardant. Je pris congé et marchai vers la station de métro.

Au bout de la rue de Lévis, à cause de l'obscurité, je ne vis pas la petite silhouette qui m'attendait.

— Pétronille ! m'écriai-je, surprise.

— Quoi, vous trouvez que c'est du harcèlement ?

— Non. Merci pour le photographe. Que lui avez-vous fait ?

— Je lui ai expliqué ma façon de penser. Il ne vous dérangera plus.

— Vous parlez comme dans un film de Michel Audiard.

— Si je vous écris, vous me répondrez encore ?

— Bien sûr.

Elle me serra la main et disparut dans la nuit. Je descendis dans le métro, enchantée de cette rencontre. Pétronille me parut digne des contemporains de Shakespeare qu'elle étudiait : des mauvais garçons toujours prêts à se battre.

Je me trouvais dans le cas où la découverte du physique du destinataire ne nuit pas à la correspondance. Relire les lettres de vieille philosophe ténébreuse de Pétronille Fanto, en sachant qu'elles avaient été écrites par un petit garçon bagarreur aux yeux vifs, les rendait formidablement piquantes.

J'avais une idée derrière la tête : et si Pétronille se révélait la convigne idéale ? Je pouvais difficilement lui demander de but en blanc ce qu'elle valait comme compagne de beuverie. Aussi lui écrivis-je que pour la remercier de m'avoir tirée d'une situation délicate, je l'invitais à boire un verre au Gymnase. Je fixai une date et une heure. Elle accepta par retour de courrier.

Le Gymnase est un café déglingué où je me rends souvent, pour ce motif qu'il est situé à cent mètres de chez mon éditeur. Ce lieu sans prestige m'a toujours été sympathique : il correspond à l'archétype du bistrot parisien. Sur le comptoir, il y a un porte-œufs durs et un panier de croissants. Les clients sont ceux qu'on imagine en train d'entretenir des controverses de zinc.

C'était le premier vendredi de novembre, à 18 heures. J'arrivai la première, comme toujours : je suis biologiquement incapable de ne pas avoir au moins dix minutes d'avance. J'aime me familiariser avec la faune ambiante avant de me consacrer à quelqu'un en particulier.

Si en dédicace j'ai tendance à m'habiller en pagode martienne, là, je portais ma tenue habituelle, mon noir de travail : une longue jupe noire, une veste noire quelconque, et ma fraise noire, sans laquelle je ne suis pas moi – je suis à fond pour le retour de la fraise et je n'ai jamais réussi, malgré ma notoriété, à rallier une seule personne à mes vues. Pétronille Fanto était vêtue, comme la première fois, d'un jean et d'un blouson de cuir.

— Je vais prendre un café, dit-elle.

— Vraiment ? Et si nous buvions quelque chose de plus festif ?

— Un demi, alors.

— J'avais pensé à du champagne.

— Ici ? dit Pétronille en écarquillant les yeux.

— Oui. C'est très bien ici.

Elle regarda autour d'elle comme si quelque chose lui avait échappé.

— D'accord, c'est très bien, ici.

— Vous n'aimez pas le champagne ?

— Moi, ne pas aimer le champagne ? s'indigna-t-elle.

— Je ne voulais pas vous offenser.

— Vous avez déjà essayé le champagne ici ?

— Non. C'est l'occasion.

— En ont-ils, d'abord ?

— À part au buffet de la gare de Vierzon, il y a du champagne partout en France.

Pétronille fit signe au garçon.

— Vous avez du champagne ?

— Ouais. Deux coupes ?

— Une bouteille, je vous prie, demandai-je.

Pétronille et le garçon me regardèrent avec une soudaine considération.

— J'ai du brut de Roederer, dit-il. Désolé, pas de cristal. Ça fera l'affaire ?

— Parfait, du moment qu'il est au frais.

— Je veux, répondit-il, choqué.

La France est ce pays magique où le plus commun des troquets peut vous servir

n'importe quand un grand champagne à température idéale.

Pendant que l'homme préparait la commande, Pétronille m'interrogea :

— Vous avez un événement à fêter ?

— Oui. Notre rencontre.

— Fallait pas. C'est pas si important.

— Pour vous, je le comprends. Pour moi,
ça l'est.

— Ah bon.

— C'est le commencement d'une amitié.

— Si vous allez par là…

— Je l'espère, en tout cas.

Le garçon revint avec deux flûtes et la bouteille dans un seau à glace.

— Je vous l'ouvre ?

— Laissez-moi faire, dit Pétronille.

Elle déboucha le brut de Roederer avec
désinvolture et remplit les flûtes.

— À notre amitié ! déclarai-je solennelle-
ment.

Le roederer avait ce goût que la Russie des
tsars attribuait au luxe français : le bonheur
me remplit la bouche.

— Pas mal, dit Pétronille.

Je l'observais. Elle partageait mon exaltation. J'appréciais qu'elle ne cherche pas à
paraître blasée.

Le garçon avait apporté des cacahuètes, ce qui dénotait un curieux sens des valeurs. Autant lire Tourgueniev en écoutant *La Danse des canards*. Pétronille n'y toucha pas, à mon soulagement.

J'ai tendance à boire vite, même quand c'est excellent. Ce n'est pas la pire manière de faire honneur. Le champagne ne m'a jamais reproché mon enthousiasme, qui ne correspond absolument pas à un manque d'attention de ma part. Si je bois vite c'est aussi pour ne pas laisser réchauffer l'élixir. Il s'agit également de ne pas le vexer. Que le vin n'ait pas l'impression que mon désir manque d'empressement. Boire vite ne signifie pas boire tout rond. Pas plus d'une gorgée à la fois, mais je ne garde pas la merveille longtemps en bouche, je tiens à l'avaler quand son froid me fera encore presque mal.

— Vous tirez une de ces têtes, déclara Pétronille.

— C'est parce que je me concentre sur le champagne, dis-je.

— Vous avez l'air bizarre quand vous vous concentrez.

Je l'amenai à parler. Le vin aidant, elle avoua que son mémoire portait sur une pièce de Ben Jonson.

Elle avait passé les deux années précédentes à Glasgow, où elle avait enseigné le français dans un collège. Quand elle évoquait sa vie écossaise, son visage prenait une expression terrible : j'en conclus qu'elle avait connu l'amour là-bas et que cela ne s'était pas bien terminé.

Je nous resservis. À mesure que la bouteille se vidait, nous reculions dans le temps. Elle avait grandi en banlieue parisienne. Son père était électricien dans le métro, sa mère, infirmière à l'hôpital de la Régie des transports parisiens.

Je la regardais avec l'admiration stupide qu'ont les gens de mon espèce quand ils rencontrent un prolétaire véritable.

— Mon père consacre ses dimanches matin à vendre *L'Huma* au marché.

— Vous êtes communiste ! m'exclamai-je, dans cet enthousiasme d'avoir trouvé l'oiseau rare.

— Doucement. Mes parents le sont. Moi, je suis bien à gauche, mais quand même pas communiste. Vous, vous êtes de la haute, hein ?

— Je viens de Belgique, dis-je pour couper court à l'investigation.

— Ouais. Ça va, j'ai compris.

30

Elle tendit sa flûte pour que je la lui remplisse.

— Vous êtes comme moi, vous avez une bonne descente, dis-je.

— Ça vous défrise ?

— Au contraire. J'aime boire avec qui partage ma passion.

— Dites plutôt que ça vous amuse de nous encanailler.

Je la scrutai, me demandant si c'était du sérieux.

— Vous allez me la jouer lutte des classes et matérialisme dialectique ? dis-je. Quand je vous ai invitée, j'ignorais vos origines.

— Les gens de votre caste sentent ces choses-là.

— Ces choses-là, comme vous dites, ne m'obsèdent pas.

La tension montait. Pétronille dut s'en rendre compte et calma le jeu :

— En tout cas, nous avons trouvé un terrain d'entente, dit-elle en montrant la bouteille du menton.

— En effet.

— Mes parents apprécient les grands champagnes. Nous n'en buvons pas souvent, mais quand même. Le communisme a été inventé par un Allemand et inauguré par les Russes, deux peuples qui aiment le champagne de qualité.

— Moi, je suis née dans une ambassade, autant dire dans le champagne.

— Alors, vous ne percevez plus ce que ce breuvage a d'exceptionnel.

— Détrompez-vous. Ma vie a eu ses splendeurs et ses misères. Vous écrivez souvent aux écrivains ?

— Vous êtes la première et à ce jour la seule.

— Que me vaut cet honneur ?

— Vous me faites rigoler. Je vous ai découverte à la radio. Je ne savais pas qui vous étiez mais je n'en pouvais plus de rire. Vous racontiez comment il fallait s'y prendre pour traire une baleine. Vous disiez aussi que vous placiez le mot « pneu » dans chacun de vos livres. Je les ai tous lus pour vérifier, vous n'aviez pas menti.

— Comme quoi je donne aux gens des motifs sérieux pour me lire.

— J'ai aimé vos bouquins. Ils m'ont touchée.

— Vous me faites plaisir, merci.

Ce n'était pas une formule. Quand quelqu'un aime mes livres, cela me réjouit sincèrement. Dans la bouche de cette étrange gamine qui tutoyait les contemporains de Shakespeare et terrorisait les photographes, le compliment me ravissait d'autant plus.

— Vous devez avoir l'habitude.

— Je ne m'habitue pas. Et puis, vous n'êtes pas n'importe qui.

— C'est pas faux. Je suis difficile. J'ai essayé de lire les écrivains d'aujourd'hui, ils me sont tombés des mains.

Je tentai de la convaincre qu'elle avait tort, en lui parlant avec éloge d'un grand nombre de plumes vivantes.

— Tout ça ne vaut pas Shakespeare, répondit-elle.

— Moi non plus.

— Vous offrez du champagne à vos lecteurs, c'est différent.

— Vous ne pouviez pas le savoir. Et puis, je ne fais pas cela avec tous mes lecteurs.

— J'espère bien. Je vous surveillerai.

Je ris, un peu jaune quand même, car je l'en sentais capable. Elle dut lire dans ma pensée car elle ajouta :

— Rassurez-vous, j'ai des exploits autrement importants à accomplir.

— Je n'en doute pas. Je brûle de les connaître.

— Vous verrez.

L'ivresse aidant, j'entrevis des actions d'éclat, le vol de la couronne d'Angleterre au profit des travaillistes écossais ou *Dommage qu'elle soit une putain* joué à la Comédie-Française.

Pétronille devait avoir un certain sens de la mise en scène car elle choisit ce moment pour se lever.

— Il n'y a plus de champagne, dit-elle. Je propose qu'on aille au cimetière Montparnasse, c'est au bout de la rue.

— Excellente idée, dis-je. Nous y croiserons forcément quelqu'un d'intéressant.

C'était sans compter avec la fermeture hâtive des cimetières parisiens en hiver : nous trouvâmes porte close. Nous reprîmes en sens inverse la rue Huyghens, vers le boulevard Raspail. Nous devions être à mi-parcours quand Pétronille m'annonça qu'elle allait uriner là, entre deux voitures garées.

— Ne pourriez-vous pas attendre le Gymnase ? protestai-je. Nous n'avons plus que trente mètres à marcher.

— Trop tard. Couvrez-moi.

Panique. En quoi devait consister mon rôle ? Il faisait noir, avec de la nuée. On ne voyait pas à vingt mètres sur le trottoir de la rue Huyghens. En cette atmosphère digne de Macbeth, je devais protéger l'intimité d'une jeune personne qui pour des raisons qui m'échappaient en partie avait lu tous mes romans.

Je tendis l'oreille pour entendre d'éventuels pas ; je ne perçus que le bruit d'un pipi, qui semblait décidé à ne jamais s'arrêter. Mon cœur battait très fort. J'imaginais un discours pour le cas où un passant arriverait : « Pardonnez-moi, madame, monsieur, mon amie a cédé à un besoin urgent, elle n'en a plus pour longtemps, pourriez-vous, s'il vous plaît, attendre un instant ? » Quel effet de tels mots produiraient-ils ? Je ne le sus pas, car la chansonnette finit quelques secondes plus tard ; Pétronille réapparut.

— Ça va mieux, dit-elle.

— Vous m'en voyez ravie.

— Désolée, c'est le champagne.

« Ça m'apprendra à offrir du roederer à un gamin des rues », pensai-je en me dirigeant vers la station Vavin, où nos chemins se séparèrent. Pétronille dut sentir que j'étais un peu refroidie, car elle ne me dit pas à bientôt.

Une fois seule, je me morigénai. Pipi entre deux voitures, ce n'était pas si grave. Pourquoi est-ce que je me conduisais comme si j'avais subi un traumatisme ? Oui, certes, au Japon, personne n'eût agi de la sorte. Mais précisément, j'avais choisi de quitter l'Empire et de venir en France, pays dont j'appréciais la liberté. « Tu n'es qu'une chochotte », me dis-je.

Toujours est-il que je ne repris pas contact avec Pétronille. Les années passèrent sans que je songe à me trouver un compagnon ou une compagne de beuverie. Ce fut ma manière de rester fidèle à cette accointance d'un soir.

Octobre 2001. Dans une librairie parisienne, je contemplais les nouvelles parutions quand je tombai sur un premier roman d'une certaine Pétronille Fanto, *Vinaigre de miel*.

Je sursautai et m'emparai du livre. En quatrième de couverture, il était inscrit : « Pétronille Fanto, vingt-six ans, spécialiste des contemporains de Shakespeare, signe ici un premier roman insolent. » Il y avait une petite photo en noir et blanc de l'auteur : elle n'avait pas changé. Je souris et achetai le bouquin.

Mon protocole de lecture est particulier. Pour atteindre la meilleure qualité d'imprégnation, j'ai observé qu'il me fallait lire couchée, de préférence sur un lit moelleux : plus profond sera le confort, plus la conscience de mon corps disparaîtra, et mieux je m'unirai au texte. Ainsi fut fait.

Je lus *Vinaigre de miel* d'une traite. Pétronille, ô culot, avait repris l'argument des *Jeunes filles* de Montherlant : un écrivain à succès reçoit des lettres de lectrices enamourées et répond avec un mélange de gourmandise et de lassitude. Là s'arrêtait la ressemblance, car si le Costals de Montherlant sortait vainqueur de la confrontation, le Schwerin de Fanto terminait phagocyté par les donzelles.

Montherlant avait écrit son livre en connaissance de cause, du haut de son expérience déjà longue d'auteur à succès. Pétronille, elle, commettait cette œuvre en guise de premier roman. D'où tirait-elle sa science des comportements de lectrices ? Mais ce paradoxe n'aurait pas eu d'intérêt sans talent. La romancière ne se contentait pas d'être audacieuse, elle avait aussi et d'abord une vraie maîtrise de l'écriture et de la narration.

Mieux encore : on sentait chez elle une culture idéalement assimilée. L'auteur avait tout lu depuis longtemps et avait dépassé de beaucoup le stade où l'on éprouve le besoin d'en avertir autrui. Pour preuve, l'allusion à Montherlant lui paraissait si évidente qu'elle ne le citait ni de près ni de loin – à une époque où les jeunes de son âge ne le lisaient plus guère.

Il semblerait que cette suprême élégance soit appelée à disparaître. Il y a quatre ou cinq ans, une lectrice d'une vingtaine d'années m'écrivit pour m'accuser de plagiat. Narquoise, elle expliquait sa trouvaille : dans *Hygiène de l'assassin* la fine mouche avait découvert que « je me les sers moi-même avec assez de verve mais je ne permets pas qu'un autre me les serve » était tiré de *Cyrano de Bergerac*. « Or, vous ne l'avez pas précisé », concluait-elle avec des points de suspension accusateurs. J'eus la sottise de répondre à la demoiselle que je me demandais s'il existait une personne sur terre pour ignorer cela. Par retour de courrier elle m'apprit d'un ton aigre qu'elle était la seule de son année de fac de lettres à le savoir et que par conséquent ma défense ne la convainquait pas. Comme quoi de nos jours le manque de cuistrerie passe pour du vol délibéré.

Pétronille, si jeune fût-elle, faisait partie des auteurs de bonne compagnie. Je m'en réjouis et je lui écrivis sur-le-champ une lettre enthousiaste que je lui envoyai par le biais de sa maison d'édition. Elle ne tarda pas à me répondre en me conviant à une séance de dédicaces. Au jour et à l'heure dits, je me rendis donc dans cette sympathique librairie du XXᵉ arrondissement appelée Le Merle moqueur.

J'aime immensément fréquenter les dédicaces des autres. Pour une fois que ce n'est pas moi qui travaille ! Et puis, j'aime observer le mode opératoire de mes collègues. Il y a ceux qui, grossiers, dédicacent sans presque regarder le lecteur, voire sans interrompre leur conversation téléphonique, portable coincé entre l'oreille et l'épaule. Il y a ceux qui expédient le boulot et ceux qui sont encore plus lents que moi – je pense à cet adorable écrivain chinois qui désespère les libraires parce qu'il consacre une demi-heure par lecteur, à réfléchir puis à exécuter en guise de signature la calligraphie que l'interlocuteur lui inspire. Il y a ceux qui exagèrent, qui sont obséquieux, sans oublier ceux qui draguent. C'est un spectacle amusant.

Dans le cas de Pétronille, le plus significatif était l'attitude des lecteurs. Tous avaient une expression incrédule quand ils découvraient l'auteur. Comme quatre années auparavant, elle avait toujours l'air d'un garçon de quinze ans. Une telle juvénilité rendait son premier roman encore plus improbable.

Elle était avec les gens d'une courtoisie sans détour – la meilleure. Je me rappelai le pipi du trottoir de la rue Huyghens et je le vis différemment : nul doute que Christopher Marlowe ou Ben Jonson se fussent conduits de la même manière. Et que pourrait-il y avoir de plus chic que les façons des contemporains de Shakespeare ? D'ailleurs, Pétronille avait cet air de garçon des rues qui devait être aussi l'aspect de ces auteurs immenses, tous morts avant trente ans dans des rixes idiotes de sortie de taverne. N'était-ce pas la grande classe ?

Quand ce fut mon tour, elle dit :

— Amélie Nothomb à ma dédicace, ça le fait.

Je lui tendis *Vinaigre de miel.*

— Un régal, déclarai-je.

— Vous avez apporté du champagne, alors ?

— Désolée, je n'y ai pas pensé.

— Dommage. Désormais, j'ai avec vous un conditionnement pavlovien : votre apparition me donne une atroce envie de roederer.

— Je vous invite après. Nous en trouverons.

— Si c'est de la Veuve ou du Dom, je ne crache pas dessus.

— Laurent-Perrier, Moët, Taittinger, Krug, Philipponnat, récitai-je à la vitesse d'une quinte flush.

— D'accord, dit-elle sobrement.

Tandis qu'elle terminait, je lus ce qu'elle m'avait écrit sur la page de garde de son livre :

« Pour Amélie Nothomb, mécène ». Et puis sa signature.

Elle prit congé du libraire et je me retrouvai avec elle dans une rue du XXe arrondissement.

— Si je comprends bien, mon mécénat consiste à faire boire les artistes que j'admire ? demandai-je.

— Oui. Enfin, vous pouvez même carrément les inviter à dîner.

Je l'emmenai au Café Beaubourg où j'avais mes habitudes. Je signalai à Pétronille que l'établissement comportait des toilettes.

— Ce que vous êtes vieux jeu ! dit-elle.

La soirée fut très agréable. Pétronille me raconta ce qui s'était passé les quatre dernières années. Elle avait gagné sa croûte comme pionne dans un lycée privé pendant qu'elle écrivait son manuscrit. Un grand de terminale l'avait traitée de « prol », elle lui avait répondu qu'il était un « bourge ». Le pauvre petit était allé pleurer chez ses parents qui avaient exigé que la subalterne présente des excuses au cher ange. Pétronille avait dit que « bourge » n'était pas plus une insulte que « prol », c'était un état de fait, il n'y avait donc pas lieu d'en tirer offense. La directrice avait renvoyé Pétronille.

— Une semaine plus tard, je trouvais un éditeur pour *Vinaigre de miel*, conclut-elle.

— Excellent timing.

— Tout va bien. N'hésitez pas à m'inviter dans vos mondanités, je suis peu connue dans les milieux qui sont les vôtres.

— Je crois que vous vous faites des idées sur mon mode de vie.

— Allons, vous êtes jeune et célèbre, on vous invite partout.

— Jeune ? J'ai trente-quatre ans.

— Bon, vous êtes vieille et célèbre.

On m'invitait partout, en effet, mais je refusais toujours. Me vint à l'esprit que les mondanités seraient peut-être moins ennuyeuses en compagnie de Pétronille.

— Je suis invitée à un après-midi de dégustation de champagne au Ritz, à la fin du mois.

— Je viens.

Je souris. Mon premier pronostic avait été de faire d'elle une compagne de beuverie. Cela prenait forme.

Au jour dit, Pétronille m'attendait devant le Ritz. Comme d'habitude, elle portait un jean et son blouson de cuir, avec des Doc. J'étais pour ma part vêtue en Templier fin de siècle.

— Comparée à vous, j'ai l'air d'un hooligan, déclara-t-elle.

— Vous êtes très bien.

Les salons du Ritz étaient infestés de rombières qui regardèrent mon amie des pieds à la tête avec dégoût. Tant de grossièreté me confondit et j'eus un mouvement de recul.

— Vous voulez qu'on parte ? demanda-t-elle.

— Il n'en est pas question.

Après tout, nous étions venues pour le champagne. Il y avait plusieurs tables avec des marques différentes. Nous commençâmes par Perrier-Jouët. Un échanson nous récita un petit laïus prometteur. J'aime être la convertie qu'on prêche, dans ces cas-là.

En mondanités, le champagne est presque meilleur. Plus le contexte est hostile, plus il fait figure d'oasis : c'est un résultat qu'on ne peut obtenir en buvant chez soi.

La première flûte nous ravit.

— Pas mal, votre truc, dit Pétronille à l'échanson.

L'homme sourit avec bienveillance. Cent pour cent des échansons que j'ai rencontrés sont des êtres exquis. Je ne sais pas si c'est le métier qui les rend tels ou si une telle ambition le présuppose. Ce jour-là, au Ritz, les échansons étaient les seules personnes fréquentables.

Quand je circulais, des dames me harponnaient aussitôt en gloussant qu'elles m'avaient vue à la télévision. Elles n'avaient pas plus à me dire mais cela prenait longtemps. Je les interrompais :

— Permettez-moi de vous présenter Pétronille Fanto, une jeune romancière de talent.

À chaque fois, ces créatures à serre-tête se pétrifiaient. Leur expression, extatique pour moi, devenait dédaigneuse pour le gamin des rues que je prétendais leur faire connaître. Soudain, elles avaient ailleurs une mission de la plus haute importance. Pétronille, elle, leur tendait une main franche que beaucoup eurent le front de ne pas serrer.

— Je sens le pâté ? me demanda la nouvelle venue avec une sidération que je partageais.

— Je vous présente mes excuses, lui dis-je. Je ne me doutais pas que nous aurions affaire à tant d'impolitesse.

— Ce n'est pas de votre faute. Je vous rassure, je suis contente d'être là. Il faut le voir pour le croire.

— Le champagne ne vous snobe pas, lui. Allons essayer le jean-josselin.

Celui-ci s'avéra excellent. À ma connaissance, c'est le seul champagne qui ait un goût de levure : une merveille.

À force d'éviter les dames à serre-tête pour nous concentrer sur la dégustation, nous fûmes fin saoules. En société, cela me rend joyeuse et expansive. Comme je pouvais difficilement faire profiter de ces aimables dispositions le public du lieu, je me montrai très allègre avec les échansons et en veine de confidences avec Pétronille.

Celle-ci, en état d'ivresse avancé, se révéla vite insurrectionnelle. Elle écoutait à peine ce que je lui racontais et répliquait par des commentaires acerbes sur ce qu'elle voyait. Nos échanges ressemblaient à ceci :

— L'un des buts de la vie me paraît d'être pompette, la nuit, dans de belles villes.

— Qu'est-ce que c'est que ce ramassis de mégères ?

— Il y a des choses à grignoter au buffet mais je ne vous les recommande pas. Ma sœur Juliette dit avec raison que si les vins rehaussent la nourriture, l'inverse n'est jamais vrai. Ce propos fait hurler la race odieuse des connaisseurs. Pourtant, je l'ai toujours vérifié : il suffit d'avoir mangé une bouchée pour que boire cesse d'être magique.

— Si celle-là continue à me dévisager, je vais lui envoyer mon pied dans la gueule.

— Je n'ai rien contre l'alimentation, mais je pense qu'il faut commencer à dîner quand on n'est plus capable de boire même une gorgée. Ce qui retarde considérablement le moment de se mettre à table.

— Mais vaut-elle que je lève le pied pour ça, j'y crois moyen.

— Il m'est arrivé de tant le retarder que je n'en étais plus capable. Aussi est-il exquis de s'effondrer d'ivresse sur un sofa voluptueux. Il faut apprendre à repérer à l'avance l'endroit où l'on va tomber. Le Ritz n'est pas l'idéal. Je veillerai désormais à n'accepter que des espaces propices aux affaissements divins.

— Je vais lui demander si elle veut ma photo.

Machinalement, j'accompagnai Pétronille en continuant à m'épancher. Je n'imaginais pas qu'elle allait demander pour de bon à cette femme si elle voulait sa photographie.

— Pardon ? s'étrangla la dame.

— Vous n'avez qu'à me laisser votre adresse et je vous l'enverrai. Remarquez, je vous comprends : une photo d'une authentique prol, pour vous, c'est de l'exotisme.

Terrifiée, la dame me jetait des regards implorants, l'air de m'appeler à l'aide. Je me contentai de jouer mon rôle social :

— Chère madame, permettez-moi de vous présenter Pétronille Fanto, une jeune romancière que j'admire. Son premier roman, *Vinaigre de miel*, est bourré de talent.

— Comme c'est intéressant ! Je vais l'acheter, enchaîna la dame en tremblant.

— Ça tombe bien, ma photo est en quatrième de couverture. Comme ça, vous pourrez encore me dévisager tout votre saoul.

Je pris Pétronille par le bras, trouvant la chute excellente. La hargne s'était installée en elle et je sentais que si je ne la retenais pas, elle la déverserait sans trêve.

Nous essayâmes un nouveau champagne. À ce stade, je mentirais en prétendant me rappeler son nom. Mais c'était délicieux et on nous le servit avec grâce. Pétronille, elle, ne se livrait plus à la dégustation ; au lieu de boire une gorgée d'un air méditatif pour apprécier les saveurs, elle avalait désormais d'un trait le contenu de la flûte et la retendait à l'échanson en disant :

— Marée basse !

L'homme la lui reremplissait avec un sourire charmant. J'eus l'intuition de ne pas me fier à ses bonnes manières. Si les choses continuaient, Pétronille allait réclamer la bouteille et boire au goulot, et l'homme la lui offrirait le plus naturellement du monde.

— L'atmosphère devient un peu pesante, dis-je à mi-voix. Je suggère que nous partions.

Mal m'en prit. Pétronille s'exclama très fort :

— Vous trouvez l'atmosphère pesante, vous ? Pas moi. Ça se réchauffe, non ?

Tous les regards se tournèrent vers nous. Les joues en feu, j'essayai d'entraîner mon amie vers la sortie. L'opération s'avéra difficile. La jeune femme faisait la lourde, je ne pouvais pas me contenter de la tirer par la main. À la fin, je dus carrément la pousser comme un meuble.

— Mais je n'ai pas goûté chaque champagne ! protesta-t-elle.

Au sortir du Ritz, l'air vif nous dégrisa un rien. Je soupirai de soulagement, Pétronille vociféra :

— Je m'amusais, moi !

— Pour ma part, j'aime me promener, ivre, dans les beaux quartiers de Paris.

— Vous appelez ça un beau quartier ? rugit-elle en considérant la place Vendôme avec mépris.

— Montrez-moi donc le Paris que vous aimez, répondis-je.

Cette mission la séduisit. Elle me prit par le bras et m'entraîna en direction des Tuileries,

49

puis du Louvre (elle me montra ce dernier en concédant : « Ça, quand même, c'est pas mal »). Nous traversâmes le pont du Carrousel (« La Seine, comme fleuve, on fait pas mieux », déclara-t-elle) et longeâmes les quais au pas gymnastique. Nous dépassâmes la place Saint-Michel et arrivâmes devant une librairie digne d'un roman de Dickens, sur laquelle il était écrit « Shakespeare and Company ».

— Voilà, dit-elle.

Je n'avais encore jamais entendu parler de cette boutique féerique. Émerveillée, je contemplais autant l'extérieur que l'intérieur : par la vitrine, on voyait des livres aux aspects de grimoire, des amateurs que nul ne tirait de leur lecture, et une jeune libraire blonde, au teint de porcelaine, si jolie et si gracieuse que l'on croyait rêver en la regardant.

— Décidément, Shakespeare est votre référence, conclus-je.

— Trouvez-m'en une meilleure.

— Pas question. Mais rien de très parisien dans ce que vous aimez à Paris.

— Ça se discute. Même à Stratford-upon-Avon, vous ne verrez rien qui ressemble à cette librairie. Cela dit, s'il vous faut de l'ultra-parisien, nous y allons.

Nous nous enfonçâmes dans les ruelles du
V^e arrondissement. Elle se dirigeait avec une
assurance de sherpa. Je finis par comprendre
où elle m'emmenait.

— Les arènes de Lutèce ! m'exclamai-je.

— Je les adore. Elles sont tellement ana-
chroniques. À Rome, un tel site serait si ordinaire qu'on ne le remarquerait pas. À Paris,
où l'Antiquité est toujours enfouie, ça fait du
bien d'avoir un témoignage du temps où nous
étions des Lutétiens.

— Parlez pour vous. Je viens de Gaule belgique. Le seul pays au monde dont le nom est
un adjectif substantivé.

Nous contemplâmes les arènes avec respect.
Il régnait un silence de catacombes.

— Je me sens très gallo-romaine, déclara
Pétronille.

— Ce soir ou en général ?

— Vous n'êtes pas normale, répondit-elle
en riant.

Je ne compris pas et passai outre.

— De fait, Pétronille, c'est le féminin de
Pétrone, repris-je. Vous êtes un petit arbitre
des élégances.

— Pourquoi petit ?

Il ne fallait pas plaisanter avec son mètre
soixante.

Un prestigieux magazine féminin me contacta pour une commande, il s'agissait d'aller à Londres interviewer Vivienne Westwood.

Depuis quelque temps, je n'acceptais plus les commandes. Là, je me laissai tenter pour deux raisons : la première était de mettre enfin un pied sur le sol anglais – si étrange que cela puisse paraître, en 2001, cela ne m'était encore jamais arrivé ; la deuxième consistait à rencontrer cette icône aussi chic que punk, la géniale Vivienne Westwood. Pour ne rien arranger, mon interlocutrice du magazine était une femme exquise qui me présenta l'affaire de la sorte :

— Madame Westwood a manifesté un enthousiasme véritable quand j'ai prononcé votre nom. Elle a qualifié votre look de délicieusement continental. Je pense qu'elle se fera une joie de vous offrir un vêtement de sa nouvelle collection.

Je capitulai. La journaliste se réjouit avec grâce. Une chambre me serait réservée dans tel palace londonien. Une voiture viendrait me chercher, etc. À mesure qu'elle parlait, je voyais le film qu'elle me racontait. Je désirais ardemment ce qu'elle me décrivait.

Cela faisait sens. Les Nothomb étaient de très lointaine origine anglaise. Ils avaient quitté le Northumberland au XIe siècle et avaient traversé la Manche, par esprit de contradiction envers Guillaume le Conquérant. Si j'avais attendu si longtemps pour retrouver l'île de mes ancêtres, c'était parce qu'il m'avait fallu ce signe du destin : cette main tendue par la reine des crinolines destroy qui manifestait à mon égard un « enthousiasme véritable » (je me répétais avec hébétude la formule de la journaliste).

En décembre 2001, j'empruntai donc pour la première fois l'Eurostar. Quand le train s'engouffra dans le fameux tunnel, mon cœur commença à battre très fort. Au-dessus de moi, il y avait cette mer significative que mes ancêtres avaient jugé bon de franchir en sens inverse un millénaire plus tôt. En cas de rupture d'étanchéité, l'Eurostar se muerait en bolide sous-marin et foncerait entre les poissons jusqu'aux célèbres falaises. Le fantasme me parut si beau que j'en étais à souhaiter qu'il devienne réalité quand le train jaillit dans une campagne hivernale désolée.

Je poussai un cri. Je regardai cette terre inconnue avec sidération. Avant la traversée de la Manche, les champs vides étaient tristes aussi, mais là, je sentais que leur tristesse différait. C'était du chagrin anglais. Les rues, les panneaux, les rares habitations, tout était autre.

Plus tard, j'avisai sur la gauche une immense ruine industrielle de brique rouge dont la majesté me coupa le souffle. Je n'ai jamais su de quoi il s'agissait.

Quand le train entra en gare de Waterloo, je faillis pleurer de joie. Au moment de fouler enfin le sol britannique, la reine n'était pas ma cousine. Je me persuadai que la terre tressaillait en reconnaissant son lointain rejeton. Un taxi me conduisit au palace annoncé qui se montra à la hauteur de mes espérances : j'avais une chambre vaste comme un terrain de cricket et un lit qui par ses dimensions évoquait celui d'un couple de milliardaires en instance de divorce.

J'aime voyager léger et par conséquent je portais déjà la tenue de circonstance : puisque

Vivienne Westwood m'avait qualifiée de telle, j'avais revêtu la plus continentale de mes redingotes de dentelle et mon chapeau Diabolo belge. J'enneigeai mon teint, charbonnai mes yeux et carminai mes lèvres. Au bas de l'hôtel, une voiture m'attendait.

Lorsque j'arrivai à la légendaire boutique, on ne me fit pas entrer par-devant, mais par une porte cochère située à l'arrière, qui donnait sur les ateliers. Émerveillée, je tendais le cou pour assister au miracle de la confection, quand une minute plus tard je fus introduite dans un cagibi meublé de deux banquettes qui dégageaient une odeur de pneu.

— Miss Westwood shall arrive soon, me dit l'homme en noir qui m'avait emmenée là.

La pièce ne comportait pas de fenêtre et l'attente s'y révéla angoissante. Au bout d'une dizaine de minutes, l'homme en noir ouvrit la porte et annonça :

— Miss Westwood.

Entra une dame aux longs cheveux couleur purée de carottes qui me tendit une main molle sans me regarder ni me parler et s'effondra sur une banquette sans m'inviter à prendre place. Néanmoins, je m'assis sur l'autre banquette et lui dis ma joie de la rencontrer.

J'eus le sentiment que mes paroles tombaient dans un vide sidéral.

Vivienne Westwood venait d'avoir soixante ans. En 2001, plus personne ne trouvait cela vieux. J'aurais volontiers fait une exception pour elle. Cela tenait à son expression pincée, au pli revêche de sa bouche, et plus encore à sa ressemblance avec le fantôme d'Élisabeth Ire sur la fin de sa vie : même rousseur fanée, même froideur, même conviction d'avoir affaire à quelqu'un hors d'âge. Elle portait une jupe droite de tweed doré et un genre de guêpière par-dessus la jupe, de teinte identique. Cette excentricité ne diminuait en rien son air de bourgeoise. Il était difficile de croire qu'il y ait eu un jour la moindre intersection entre l'esthétique punk et cette rombière boulotte.

J'ai rencontré bien des gens désagréables au cours de ma vie, mais rien qui se compare à ce bloc de mépris. Je crus d'abord qu'elle ne comprenait pas mon anglais à cause de mon accent ; comme je m'en alarmais, elle murmura :

— J'ai compris pire que vous.

Décontenancée, je posai les questions que j'avais prévues. Il est infiniment plus difficile de poser des questions que d'y répondre.

À son âge, Vivienne Westwood ne pouvait pas l'ignorer. Pourtant, chaque fois que j'avais l'audace de l'interroger, elle poussait un petit soupir, voire étouffait un bâillement. Ensuite, elle produisait une réponse abondante, qui prouvait qu'elle n'était pas mécontente de ma question.

La journaliste commanditaire m'avait dit que mon nom avait provoqué chez madame Westwood un « enthousiasme véritable ». Comme elle le cachait bien ! Ce devait être cela, le flegme britannique.

— Pourrais-je visiter les ateliers de confection ? demandai-je.

Que n'avais-je pas dit ? Vivienne Westwood me regarda avec un courroux indigné. Elle se dispensa de répondre et je lui en sus gré, car nul doute que j'en eusse pris pour mon grade.

Confuse au point de ne plus savoir que dire, je posai cette question au hasard :

— Madame Westwood, n'avez-vous jamais songé à écrire ?

Au comble du mépris, elle gloussa :

— Écrire ! Ne soyez pas vulgaire, je vous prie. Il n'y a pas plus commun qu'écrire. Aujourd'hui, le moindre footballeur écrit. Non, je n'écris pas. Je laisse cela aux autres.

Savait-elle à qui elle s'adressait ? J'en vins à espérer que non. Mieux valait encore être ignorée de cette femme que de subir un tel affront.

Je me conduisis comme une Japonaise : je ris. Il me semblait avoir touché le fond. Même si le penser porte malheur. Le réel s'empresse toujours de vous montrer à quel point vous manquez d'imagination.

Derrière la porte, j'entendis un bruit bizarre, comme si on grattait. Du menton, Vivienne Westwood m'intima d'ouvrir. Je m'exécutai. Entra un caniche noir rasé à la dernière mode qui trottina vers la styliste. Celle-ci changea d'expression de façon extraordinaire. Le visage noyé d'attendrissement, elle s'écria :

— Beatrice ! Oh my darling !

Elle prit le chien dans ses bras et le couvrit de baisers. Son visage ruisselait d'amour.

Je demeurai émerveillée. « Un être qui aime à ce point un animal ne peut pas être mauvais », pensai-je.

Beatrice commença à japper de manière probablement significative, mais je ne saisis pas de quoi. Madame Westwood devait connaître le sens de ce comportement, puisqu'elle reposa le caniche et me dit aussi sec :

— It is time to walk Beatrice.

Je hochai la tête : quand Beatrice poussait ce jappement, c'était qu'elle devait faire ses besoins.

— It is time to walk Beatrice, répéta-t-elle avec humeur.

Je regardai l'homme en noir qui se tenait debout de l'autre côté de la porte restée ouverte : n'entendait-il pas la consigne qui lui était adressée ?

— Don't you understand english ? finit-elle par me dire avec lassitude.

Je compris enfin. C'était à moi, et à moi seule, que s'adressait non pas cette prière, mais cet ordre.

Je demandai où était la laisse. Elle prit dans son sac un genre d'accessoire SM et me le tendit. Je l'accrochai au collier de Beatrice et sortis. L'homme en noir m'indiqua l'itinéraire à suivre. Ce n'était pas indispensable car l'animal connaissait son chemin.

Beatrice me mena à un square où elle avait ses habitudes. J'essayai de mesurer la poésie de l'instant : n'était-ce pas une façon singulière de découvrir Londres ? J'avais beau injecter dans cet épisode toute la positivité dont j'étais capable, il n'en surnageait pas moins un sentiment de honte. J'osai me le formuler : après m'avoir insultée, Vivienne Westwood m'avait ordonné de promener son chien. Oui, c'était bel et bien ce qui s'était produit.

Je regardai autour de moi. Ce square me sembla aussi laid que les habitations qui l'entouraient. Les gens avaient des expressions affreuses. Enfin, le froid humide me transperçait les os. Il fallait me l'avouer : Londres me déplaisait beaucoup.

Tout à mon dégoût, j'en avais oublié la gent canine et sa majesté Beatrice qui jappait et sautillait en me montrant un caca qu'elle venait de créer. Je me demandai si la loi anglaise imposait le ramassage de l'étron, dans l'ignorance je décidai de n'y pas toucher. Si un policeman m'interpellait, je donnerais les coordonnées de la boutique.

L'espace de quelques secondes, un démon m'inspira de kidnapper le caniche et d'exiger une rançon. Comme pour m'en dissuader, Beatrice vint me mordiller les mollets avec exaspération. On a raison de dire que le chien ressemble à son maître. Je rentrai. Vivienne Westwood confia Beatrice à l'homme en noir puis m'interrogea : la petite bête avait-elle communié sous les deux espèces ? Comment était le caca ? Ce fut l'unique fois qu'elle m'écouta scrupuleusement. Ensuite, elle retomba dans son ennui et son mépris.

Ne voyant pas l'intérêt de prolonger ce supplice je pris congé. Madame Westwood me tendit une main molle sans plus me regarder qu'au début et retourna à ses moutons. Je me retrouvai dans la rue, en proie au sentiment aigu de ma déréliction.

Récapitulons. Je venais de me faire traiter, à la lettre, pire qu'un chien, par une vieille punk déguisée en Élisabeth Ire, à moins que ce ne fût le contraire, dans une métropole où je ne connaissais rien ni personne, j'étais seule dans une rue inhospitalière et il commençait à tomber un crachin des plus froids. Hébétée, je marchai dans la direction que je croyais être celle de l'hôtel. Si j'avais eu un atome de bon sens, j'aurais pris un taxi, mais les Londoniens m'inspiraient désormais une sorte de terreur, même au volant d'une voiture, et je préférais ne plus avoir le moindre contact avec cette étrange espèce.

D'habitude, j'aime me perdre dans les villes inconnues et je professe qu'il n'y a pas de meilleure initiation. Ce ne fut pas ce que j'éprouvai ce jour-là. Abritée sous un miniparapluie déglingué, j'arpentai des artères absurdes, bordées de constructions dont les fenêtres avaient le regard de Vivienne Westwood. Incapable de ressentir autre chose qu'un froid odieux, je me rappelai la phrase de Victor Hugo : « Londres, c'est de l'ennui bâti. » Cette formule lapidaire me semblait encore trop positive. Si l'Angleterre entière s'apparentait à sa capitale, je comprenais pourquoi on parlait de perfide Albion, et j'avais une empathie sans bornes pour mes ancêtres qui avaient fui le Northumberland un millénaire auparavant. Il se dégageait de chaque édifice que je croisais quelque chose de sournoisement hostile.

Je finis par devoir demander mon chemin à des indigènes qui feignirent de ne rien comprendre à mon anglais et je me retins de leur dire que même leur vieille gloire saisissait mon sabir. Au bout de deux heures de déambulations désespérantes, je regagnai l'hôtel, où je m'enfermai dans ma chambre pour tenir l'ennemi en respect. Je marinai longuement en un bain brûlant et puis je m'installai au lit. Très vite, l'appréciation de ce confort laissa place à un désagréable constat d'échec. Jamais de ma vie je n'avais à ce point raté une ville. S'il s'était agi de Maubeuge ou de Vierzon, j'en aurais peut-être ri. Quand même, Londres !

Londres, où Shakespeare avait écrit et créé les plus grands chefs-d'œuvre, où l'Europe avait sauvé l'honneur lors de la dernière guerre, où toutes les avant-gardes s'épanouissaient !

C'était moi que je punissais en ratant cette ville. Certes, Vivienne Westwood était un coup du sort, mais quelle injustice de ma part d'en accuser la métropole entière ! Allais-je vraiment, à trente-quatre ans, me commander un club sandwich à manger au lit et ne plus quitter ma chambre, alors que je passais ma première nuit en Angleterre ?

D'instinct, je saisis le téléphone.

— Bonjour, Pétronille. Viendriez-vous passer la soirée avec moi ?

— Pourquoi pas ?

— Je suis à Londres.

— Ah oui. Quand même.

— Je vous rembourserai le train. Si vous le voulez bien, vous partagerez ma suite, qui est grande comme Buckingham Palace.

Je lui précisai les coordonnées de l'hôtel.

— J'arrive.

À 21 heures, elle frappa à ma porte. Voir arriver un visage ami sur ce rivage hostile me remplit de joie. Je commençai des effusions auxquelles elle coupa court :

— J'ai faim. Allons dîner. Vous me raconterez tout ça en chemin.

Je la suivis au travers de rues sombres en lui expliquant ma rencontre calamiteuse avec Vivienne Westwood. Pétronille rigola sans ménagement.

— Vous trouvez ça drôle ?

— Oui. Je devine que ça l'était moins en vrai. Le coup du caniche !

— À ma place, qu'auriez-vous fait ?

— J'aurais sorti à la vieille mon répertoire d'insultes écossaises.

— C'est cela mon malheur. Je ne connais pas d'insultes écossaises.

— Allons. Même si vous en aviez connu, vous n'auriez rien dit. J'ai lu votre bouquin, *Stupeur et tremblements*.

Elle avait raison. La grossièreté d'autrui n'a d'autre effet que de me pétrifier. Entre-temps, nous étions arrivées près d'une gargote qui embaumait.

— Un dîner indien, ça vous dit ? Sauf si vous tenez vraiment au meat pie.

Cette excellente cuisine ne tarda pas à me ragaillardir. Ensuite, Pétronille m'entraîna dans un pub où elle commanda d'autorité deux Guinness. Un rockband précurseur jouait quelque chose de bizarre qu'ils appelaient dubstep.

— Il ne faut pas consommer la mousse à part, dit Pétronille en me voyant la laper. La Guinness est bonne quand elle est bue à travers la mousse. Sans parler de votre air de handicapée mentale quand vous lapez la mousse.

— J'aime cette musique. On dirait qu'ils passent les basses au fer à friser.

— Et dire que sans moi vous n'auriez plus quitté la chambre d'hôtel !

— J'étais traumatisée. Je sentais que vous seriez la seule à pouvoir me donner le cran de sortir.

— Quelle chochotte vous faites, vous en avez vécu de plus dures, tout ça pour une harpie qui se la joue.

Tard dans la nuit, Pétronille m'emmena dans une ruelle aux allures de coupe-gorge. Elle se posta en un lieu précis et me dit avec une solennité extrême :

— Voilà. Je suis à l'endroit exact où Christopher Marlowe a été assassiné.

Je me surpris à trembler.

— Vous me faites terriblement penser à Christopher Marlowe, dis-je.

— Vous n'avez aucune idée de son apparence, rétorqua-t-elle.

— En effet. Mais votre côté mauvais garçon vous apparente tellement aux contemporains de Shakespeare.

— Vous dites de ces énormités, vous, alors !

Plus tard, il me fut accordé de voir un portrait de Christopher Marlowe. Mon intuition se vérifia : Pétronille lui ressemblait étrangement. Si on lui rasait le bouc et la moustache, on obtenait Pétronille, son visage poupin, son air juvénile et farceur.

Il devait être une heure du matin quand nous regagnâmes la chambre d'hôtel. Lorsque je m'éveillai trois heures plus tard pour écrire, je vis que Pétronille dormait à l'autre bout du lit colossal. Il me sembla qu'elle ne s'était pas déshabillée.

J'allai écrire dans le salon de la suite, sans me laisser intimider par le mobilier victorien. Le phénomène, comme tous les jours de ma vie, s'empara de moi pendant quatre heures environ et puis me déserta. Par la fenêtre, je vis se lever ce qui devait équivaloir au soleil de ce côté-ci de la Manche : une moindre obscurité.

Pétronille ne m'avait jamais aperçue dans ma tenue d'écriture (un genre de pyjama anti-nucléaire japonais) et je résolus de ne pas la traumatiser. Je traversais la chambre sur la pointe des pieds en direction de la salle de bains quand j'entendis :

— C'est quoi, ce truc ?

— C'est moi.

Silence, suivi de :

— D'accord. C'est plus grave que prévu.

— Je vais me changer, si vous voulez.

— Non non. Si j'allume la lumière, ça prend feu ?

— Je vous en prie.

Elle s'exécuta et me regarda derechef.

— Ah, la couleur vaut le détour, elle aussi. Vous appelez comment ce coloris ?

— Kaki.

— Non. Kaki, c'est vert, et vous, c'est orange foncé.

— Justement, couleur du fruit nippon, le kaki. C'est mon costume d'écriture.

— Et ça donne de bons résultats ?

— Je vous laisse juge.

Elle rigola et se leva. Ce fut mon tour d'être surprise :

— Vous n'avez rien enlevé pour dormir, pas même vos chaussures !

— Un vrai cow-boy. Comme ça, en cas d'attaque nocturne, je suis prête.

— Sérieusement ?

— Non, j'étais crevée.

— Je commande le petit déjeuner. Que désirez-vous ?

— Surtout pas leurs saloperies de saucisses, de porridge et de rognons. Du café, des toasts et de la confiture.

Tandis que j'appelais le room service, elle alla prendre une douche. Le petit déjeuner nous fut servi dans la salle à manger. Tels Milord et Milady, nous étions assises chacune à l'extrémité d'une très longue table.

— C'est pratique pour se passer le sucre, dit Pétronille.

— J'aime bien.

— Vous avez vu le flegme de ces gens ? La dame du petit déjeuner n'a pas remué un sourcil quand vous lui avez ouvert en pyjama orange.

— Elle a dû voir pire, dans sa vie.

— Moi pas.

J'éclatai de rire.

— Que voulez-vous faire, ce matin ?

— Qu'est-ce qui vous paraît intéressant, dans ce pays ? demandai-je.

— La gratuité des musées, c'est bien, non ?

— Incontestablement.

— Allons au British Museum.

Dont acte. Afin de ne pas nous perdre, nous nous donnâmes rendez-vous en Mésopotamie à midi. Ce n'est pas tous les jours que l'on peut se fixer des lieux de rendez-vous pareils.

En de tels édifices, j'apprécie encore plus l'ensemble que le détail. J'aime me promener, sans autre logique que mon plaisir, de l'Égypte ancienne aux Galápagos en passant par Sumer. Me farcir l'assyriologie entière me resterait sur l'estomac, quand picorer quelques caractères cunéiformes en guise d'apéritif, des runes en entrée, la pierre de Rosette en plat de résistance et des mains négatives préhistoriques comme dessert exalte mes papilles.

Ce que je ne supporte pas, dans les musées, est le train de sénateur que les gens se croient obligés d'adopter en leur sein. Pour ma part, je m'y déplace au pas gymnastique, embrassant du regard de vastes perspectives : qu'il s'agisse d'archéologie ou de peinture impressionniste, j'ai observé les avantages de cette méthode. Le premier est d'éviter l'atroce effet Guide Bleu : « Admirez la bonhomie du Cheik el-Beled : ne dirait-on pas qu'on l'a croisé hier au marché ? » ou : « Un litige oppose la Grèce et le Royaume-Uni au sujet de la frise du Parthénon. » Le deuxième est concomitant au premier : il rend impossibles les considérations de sortie de musée. Les Bouvard et Pécuchet modernes en ont la chique coupée. Le troisième avantage, et non le moindre en ce qui me concerne, est qu'il empêche le surgissement du terrible mal de dos muséal.

Aux alentours de midi, je me rendis compte que j'étais perdue. J'abordai un responsable en ces termes :

— Mesopotamia, please.

— Third floor, turn to the left, me répondit-on le plus simplement du monde.

Comme quoi on a bien tort de croire que la Mésopotamie est à ce point inaccessible.

Pétronille m'y attendait, fidèle au rendez-vous. J'appréciai qu'elle m'épargne le digest de sa visite. Au lieu de quoi elle proposa un fish and chips.

— Vraiment ? demandai-je.

— Oui. C'est un classique qui vaut le détour. À Soho, je connais un coin où il est bon.

Dans le boui-boui en question, elle arrosa d'autorité mon assiette d'une généreuse quantité de vinaigre. Moyennant quoi, je convins que c'était très agréable.

— On se tutoie ? suggéra-t-elle en buvant une gorgée de bière.

— Pourquoi ?

— On a dormi dans le même lit, je vous ai vue en pyjama orange, on mange ensemble du fish and chips. Ça devient bizarre de nous vouvoyer.

— Pour moi, l'unique question est celle-ci : que nous apporterait le tutoiement ?

— Ça va, vous êtes contre.

— Dans cent pour cent des cas, je l'avoue.

— C'est votre éducation.

— Au contraire. Dans ma famille, on tutoie autant que possible. Non, c'est épidermique : le voussoiement me plaît.

— C'est entendu.

— Attendez, nous sommes deux.

— Ce qui rend l'élection caduque : une voix pour, une voix contre.

— Oui. Mais pourquoi ma voix l'emporterait-elle ? Ce n'est pas juste.

— On ne va quand même pas jouer ça à pile ou face ?

— Si, précisément. Le hasard est une justice digne de ce nom.

Pétronille sortit de sa poche un penny et dit :

— Pile, tu. Face, vous.

Elle jeta la pièce en l'air d'une chiquenaude du pouce. Jamais je n'avais tant espéré voir le visage de la reine.

— Pile ! annonça-t-elle.

— Cela va être dur.

— Vous n'avez qu'un mot à dire et on en reste au vous.

— Non, non. Je me tromperai beaucoup, mais j'y arriverai.

Après le déjeuner, nous passâmes devant une boutique vintage qui proposait des Doc d'occasion. J'en avisai des bleu roi, à lanières, pas trop déglinguées. Pétronille décréta que ça m'allait « au poil » :

— Ça change de tes pompes de mongolienne.

— En quoi mes chaussures méritent-elles ce sarcasme ?

73

— Si tu étais normale, tu comprendrais.

— Tu vois que le tutoiement n'est pas sans conséquence. Regarde de quoi tu me traites à présent.

— Faux. Ce matin, je t'ai qualifiée de handicapée mentale.

Absurdement rassérénée, j'achetai les Doc à lanières. Je les porte encore aujourd'hui.

En chemin pour la gare, nous croisâmes un individu qui promenait un welsh corgi. Nous tombâmes dans une pâmoison identique.

— Je suis dingue de ces clébards ! s'écria Pétronille.

— Moi aussi. C'est mon chien préféré. C'est également celui de la reine.

— Maintenant que tu le dis, tu ressembles à un mélange de welsh corgi et d'Élisabeth II. Cinquante-cinquante.

Elle n'en démordit pas.

Dans l'Eurostar, Pétronille me demanda mon verdict sur Londres.

— Jusqu'à ton arrivée, j'ai trouvé que c'était un purgatoire.

— Et depuis que je suis là ?

— C'est l'enfer.

Elle partit de son grand rire.

— Tu as raison, on s'est bien amusées.

C'est vrai que grâce à elle, j'avais apprécié ce séjour éclair. Il n'empêche qu'en quittant la gare du Nord, en ce quartier qui n'est pas franchement folichon, je compris soudain pourquoi on disait le gai Paris :

— Comme cette ville est joyeuse et légère !

— On va boire du champagne ? proposa Pétronille.

Elle avait raison, c'était lié. Au premier troquet venu, en face de la gare, je commandai une bouteille de Taittinger. Nous la bûmes en tenant des propos anti-anglais : rien de tel pour l'ambiance. Au moment de nous séparer, nous convînmes que nous ne pensions pas un mot de ce que nous avions dit.

De retour chez moi, j'écrivis aussitôt mon article « Entretien avec Vivienne Westwood », dans lequel j'encensai cette femme au plus haut degré. Néanmoins, je n'omis aucune des grossièretés dont elle m'avait accablée, y compris mon devoir de promener le caniche. Quand la commanditaire reçut mon papier, elle me téléphona pour me présenter ses excuses.

— Vous n'y êtes pour rien, dis-je. Ce que je ne comprends pas, c'est pourquoi vous m'aviez affirmé qu'elle se réjouissait de me rencontrer.

— C'est ce que m'avait dit son agent. Et c'eût été la moindre des choses. Que puis-je faire pour réparer ? Le dommage moral…

— Il n'y a pas lieu de parler de dommage moral, quand même. Pourquoi ne pas convoquer une cellule psychologique, tant que vous y êtes ?

— Non, certes. Mais quelques bouteilles de champagne, c'est excellent contre le dommage moral.

Visiblement, cette journaliste me connaissait.

— Ah, vous parliez de ce dommage moral-là. Oui, ma foi, une ou deux bouteilles de laurent-perrier…

— Cuvée Grand Siècle ?

— Vous avez raison, il ne faut pas sous-estimer le dommage moral que j'ai subi.

Le lendemain, quatre bouteilles de laurent-perrier Cuvée Grand Siècle me furent livrées. À ce compte-là, je suis prête à interviewer les pires teignes de la planète, et à promener leur caniche où ils voudront.

En 2002 parut le deuxième roman de Pétronille Fanto, *Le Néon*, aux éditions Stock.

Je me jetai dessus. Il y était question de l'adolescence contemporaine. Le héros, Léon, sorte d'Oblomov de quinze ans, entraînait sa famille entière dans son vertige nihiliste. Le livre me fascina plus encore que le premier. Il avait une manière subtile et drôle de prêcher le désespoir.

J'écrivis à Pétronille l'une de ces lettres dont j'ai le secret. Il est très difficile d'exprimer une admiration profonde à qui l'inspire. Par oral, j'en suis incapable. La plume me permet de contourner ce blocage. À l'abri du papier, je parviens à me désempêtrer de mon excès d'émotion. Pessoa dit qu'écrire diminue la fièvre de ressentir. Ce propos sublime ne se vérifie pas chez moi, au contraire : écrire augmente ma fièvre de ressentir mais, à la faveur de cette élévation grave d'une température déjà critique, fait jaillir des formes précises de la confusion dans laquelle je baigne.

Pétronille me téléphona. Elle semblait heureuse de ma bafouille, car elle s'exclama :

— Dis donc !

— Merci.

— Vu ce que tu penses de mon livre, tu dois crever d'envie de m'inviter à boire du champagne. J'ai une bonne nouvelle pour toi : j'accepte.

Il me restait une bouteille de mon dédommagement moral post-Vivienne Westwood. À la fin de la deuxième flûte, je déclarai à Pétronille qu'elle dénonçait dans *Le Néon* une tendance actuelle : la contamination des adultes par les valeurs adolescentes.

— Quel dommage que tu n'animes pas un débat télévisé de fin de soirée sur France 2 ! dit-elle.

— Moque-toi. C'est vrai.

— On peut continuer cette conversation au zinc, si tu vas par là.

Pétronille ne tolérait que les conversations légères, sauf quand il était question de politique. Là, tôt ou tard resurgissait la fille de militant communiste, et venait le moment où elle s'exclamait – que ce soit au sujet des

salaires, du chômage ou de n'importe quoi :
« C'est précarisant, tu te rends pas compte ! »

Cet adjectif, dont elle use encore aujourd'hui avec la dernière indignation, m'a toujours stupéfiée. À part Pétronille Fanto, je n'ai jamais entendu personne l'employer, pas même Arlette Laguiller ou Olivier Besancenot. Pour moi, c'est l'hapax de Pétronille. Je l'ai entendue qualifier de telles des choses dont je n'imaginais pas qu'elles pouvaient avoir le moindre rapport avec la précarité.

Ce soir-là, comme elle m'annonçait qu'elle allait dédicacer dans quelque prestigieuse librairie parisienne et que je l'en félicitais, je la vis se mettre en colère. J'essayai de comprendre ce qui l'animait. Elle lâcha le morceau :

— Ces libraires bourgeois devraient payer les écrivains qui viennent perdre deux heures de leur vie à dédicacer chez eux !

— Voyons, Pétronille, qu'est-ce que tu racontes ? Les libraires ont déjà tant de mal à joindre les deux bouts. De la part d'un libraire, convier un auteur à dédicacer chez soi, c'est une prise de risque pour eux, un cadeau pour lui !

— Tu marches dans ce discours, toi, hein ? Ce que tu es naïve ! Moi, je dis que tout travail mérite salaire. La dédicace non rémunérée, c'est précarisant !

J'en demeurai sans voix.

— Dis donc, y a marée basse, se plaignit-elle en me tendant sa flûte vide.

— Nous avons bu la bouteille entière.

— Fais-en péter une autre, alors.

— Non, je crois que nous allons en rester là.

J'avais observé que plus elle buvait, plus ses propos s'aventuraient à la gauche de la gauche.

— Quoi, rien qu'une bouteille à boire ? Toi, Amélie Nothomb, dont l'appartement regorge de champagne ! C'est obscène ! C'est dégoûtant. C'est…

— Précarisant ? proposai-je.

— Voilà.

Être la compagne de beuverie de Pétronille ne s'avérait pas de tout repos. Peu
après, tandis qu'elle et moi étions en train
de nous imbiber de moët lors de Dieu sait
quelle manifestation littéraire, elle déclara
l'urgence de partir au ski. Je ne sais plus
exactement comment elle amena le sujet. Je
reconstitue d'après imagination et probabilité :

— Regarde-les, ces babouins. À force de les
fréquenter, je te jure que j'ai besoin de respirer
l'air des cimes.

— J'adore la montagne, avais-je innocem-
ment enchaîné.

— Parfait. On est en décembre. Toi et moi,
on va skier avant la fin du mois. Trouvons
quelqu'un.

Je ne sais plus à qui nous nous sommes adres-
sées, mais le lendemain matin, nous disposions

d'une réservation pour deux personnes dans une station alpine qui, pour la commodité du récit, sera nommée Acariaz.

Je téléphonai à Pétronille pour l'interroger sur ses démarches. Elle avait l'ivresse encore plus amnésique que moi :

— Écoute, je ne me souviens de rien. Mais c'est chouette, on va skier. Tu t'occupes des billets de train ?

Au fond, elle avait raison. Il faut forcer le destin. S'il suffisait de mes initiatives, il ne se passerait jamais rien, dans la vie.

Le 26 décembre, après deux trains et un taxi, nous arrivâmes à Acariaz, 1 200 mètres d'altitude. Nous jetâmes nos affaires dans l'appartement-chalet. Pétronille trépignait d'impatience. Il fallut revêtir aussitôt sa tenue de ski et monter au front.

Tandis que nous attendions dans la file des abonnements aux télésièges, elle dit :

— Depuis combien de temps n'as-tu plus skié ?

— Depuis le Japon.

— C'était avec le fameux fiancé, alors ?

— Non. C'était quand j'étais petite.

Il y eut un silence.

— Tu avais quel âge ? demanda-t-elle.

— Quatre ans.

— Tu es en train de me dire que tu n'as plus skié depuis tes quatre ans ?

— En effet.

— Et maintenant, quel âge as-tu ?

— Trente-cinq.

Pétronille soupira de consternation.

— Ne compte pas sur moi pour te donner des leçons. Je suis venue pour m'amuser, moi.

— Je n'ai pas besoin de tes leçons.

— Tu n'as plus skié depuis plus de trente ans, Amélie !

— À quatre ans, je skiais très bien.

— Oui. Tu as obtenu ton flocon d'honneur à la maternelle. Je suis impressionnée.

— C'est comme le vélo, ça ne s'oublie pas.

— Bien sûr que si.

— Je crois au génie de l'enfance.

Pétronille prit son visage dans ses mains et dit :

— Nous allons au-devant du désastre.

— Je t'assure que je sens dans mes jambes comment procéder.

À 14 h 30, nous étions sur les pistes. Le soleil brillait, l'enneigement était idéal. Mon enthousiasme culminait.

Pétronille s'élança comme une flèche. En moins de temps qu'il n'en faut pour l'écrire, elle avait descendu l'immense pente avec une élégance et une fluidité sans faille.

Au sommet de l'allégresse, je l'imitai. Deux mètres plus loin, je m'effondrai. Je me remis debout aussitôt et m'élançai, pour me retrouver par terre à la seconde. Ce manège se reproduisit quinze fois d'affilée. Pétronille avait eu le temps de prendre le tire-fesses et était auprès de moi.

— Le génie de l'enfance n'a pas l'air de fonctionner. Tu veux que je t'apprenne ?

— Laisse-moi tranquille !

Moins de dix minutes plus tard, elle avait dévalé, remonté, et était de nouveau à côté de moi qui tombais toutes les cinq secondes.

— Nous avons un problème dit-elle. Tu vas avoir besoin d'un professeur très patient.

J'éclatai en sanglots.

— Et d'un psychiatre, ajouta-t-elle.

— Fiche-moi la paix ! Je suis sûre que j'en suis capable ! C'est ta présence qui me bloque. Tu ne pourrais pas aller sur une autre pente, très éloignée de celle-ci ?

— D'accord.

Elle disparut.

J'étais donc seule, avec aux pieds deux corps étrangers qui étaient censés devenir le prolongement de mes jambes et qui, pour l'instant, me donnaient l'impression d'avoir des sabres ottomans en guise de chaussures. Je fermai les yeux et plongeai en moi pour retrouver mes quatre ans.

Au début des années soixante-dix, le Tyrol était un fantasme nippon ravageur. Mes parents avaient loué pour une semaine un chalet aux allures d'horloge à coucou dans une station des Alpes japonaises. Les moniteurs portaient des culottes de peau et les hôtesses des robes au corsage brodé d'edelweiss. C'était Noël. Quand nous allions boire un chocolat chaud, il y avait toujours un chœur nippon chantant en allemand des hymnes à la gloire des sapins. Cet univers me paraissait d'une étrangeté sublime.

Sur les pistes, ma mère m'avait donné des rudiments qui avaient porté leurs fruits. À la fin de la semaine, je filais comme l'éclair sur mes skis nains. Je parvenais même à tourner.

« Si je garde les yeux fermés, j'en suis capable », décidai-je. Dont acte : je m'élançai dans le noir et, en effet, les sensations me revinrent. En pivotant régulièrement, je me retrouvai au bas de la pente sans m'être effondrée. Je poussai un hurlement de triomphe.

Tandis que je me dirigeais vers un tire-fesses, un escogriffe me rejoignit.

— À quoi vous jouez ? J'étais en train d'enseigner le ski à mes gosses et vous avez failli tous les percuter !

— Pardon. C'est parce que je fermais les yeux.

— Vous êtes malade ou quoi ?

Il valait mieux changer de méthode. Heureusement, quand j'eus remonté la pente, je m'aperçus que, même les yeux ouverts, je skiais très bien. C'était délectable de slalomer dans la poudreuse, de prendre les bosses pour tremplins. Quel sport merveilleux ! J'essayai d'autres pistes, tout me réussissait. Je fus rattrapée par Pétronille, ébahie.

— Que s'est-il passé ?

— Je crois au génie de l'enfance, répétai-je.

Nous skiâmes de conserve jusqu'au soir. Depuis, combien de fois ai-je entendu Pétronille raconter cette histoire ? « Je me retrouve aux sports d'hiver avec une débutante si nulle qu'elle chiale, et une heure plus tard je m'aperçois qu'elle se débrouille comme un pro ! Elle est pas normale, je vous assure. »

Le matin suivant, Pétronille me dit qu'elle avait très mal dormi.

— C'est rempli d'acariens, ici ! Je suis allergique.

— Que faut-il faire ?

— Ouvrir les fenêtres.

Nous tentâmes, en vain, d'ouvrir une fenêtre de l'appartement. De toute évidence, il n'était pas prévu qu'on les ouvre. L'opération s'avéra impossible.

— Truc de dingue ! tempêta Pétronille. Un espace confiné, avec de la moquette, et on ne peut même pas aérer !

— N'y a-t-il pas une autre défense contre les acariens ?

— L'aspirateur.

Je trouvai dans un placard un genre d'aspirateur pour célibataire malpropre que Pétronille regarda avec mépris. Je le passai partout. Elle haussa les épaules.

— Il faudrait aussi secouer les couettes, et comme on ne peut pas ouvrir de fenêtre…

— Qu'à cela ne tienne. Je vais secouer les couettes à l'extérieur.

Je saisis chaque couette à bras-le-corps et sortis la secouer dans la rue, indifférente aux regards. Chaque fois que je rentrais, Pétronille me tendait une nouvelle chose à secouer dehors : les oreillers, les draps, les couvre-lits. Je m'exécutais sans broncher.

Au énième aller-retour, elle déclara qu'elle allait m'aider pour le matelas.

— Tu ne pourras pas le soulever seule.

— Attends. Nous allons secouer le matelas dans la rue ?

— C'est ce que les acariens préfèrent. Ce matelas est un hôtel quatre étoiles pour acariens.

Je n'osai protester. Soulever le matelas, le descendre sur l'épaule et le sortir à l'air libre fut un véritable chemin de croix. Mais ce ne fut rien comparé au supplice de le secouer dans la rue et de le remonter par l'étroit escalier.

Quand nous eûmes réussi à le réinstaller dans l'appartement, Pétronille assena :

— Bon. Ton matelas, maintenant.

— Pourquoi ? Je ne suis pas allergique aux acariens, moi !

— Réfléchis. Un mètre sépare nos lits. Pour un acarien, cette distance n'a rien d'infranchissable.

Résignée, je soulevai mon matelas et le portai jusqu'à la rue, songeant que le Christ était un petit joueur, qui n'avait dû effectuer son chemin de croix qu'une seule fois. « À moins que je ne sois Simon de Cyrène », pensai-je. Et je ris sous cape en imaginant un

Christ s'adressant à Simon comme l'avait fait Pétronille : « Dis donc, tu me files un coup de main, oui ou non ? »

Nous n'avions pas encore touché le fond. Dans la rue, tandis qu'à grands efforts nous secouions le matelas, deux policiers arrivèrent en trottant, avertis par quelque courageux justicier du voisinage.

— Alors, on cambriole en plein jour, comme ça ? dit l'un des agents.

— Non, on fait le ménage, répondis-je en haletant.

— C'est ça. Vos papiers.

Nous eûmes beaucoup de mal à prouver notre innocence. Le plus dur fut d'empêcher Pétronille de parler, ce que je parvins à faire en m'interposant avec le ton humble et conciliant qu'il fallait. Les policiers partirent en disant :

— Et qu'on ne vous y reprenne plus !

Par bonheur, ils n'entendirent pas Pétronille répondre :

— On recommence demain matin !

Mais moi je l'entendis.

— Sérieusement ?

— Oui ! Les acariens, ça a la vie dure.

Un découragement si profond s'abattit sur moi, qu'une fois repartie skier je n'y éprouvai plus aucun plaisir : était-ce la perspective de déménager quotidiennement deux matelas ? Je ne ressentais qu'accablement et lassitude.

À midi, Pétronille soupira :

— J'en ai marre de skier !

— Déjà ?

— C'est à cause de ma mauvaise nuit. Tu n'as pas une idée, pour qu'on s'embête moins ?

J'en avais une. Je laissai Pétronille déjeuner d'un croque-monsieur et je fonçai à la supérette. Comme champagne, on ne vendait que du piper-heidsieck. Je revins avec mon sac à dos lesté de deux bouteilles. Après que nous fûmes remontées par le tire-fesses, j'annonçai à mon amie que je resterais là et qu'elle devrait me rejoindre une demi-heure plus tard. À peine fut-elle partie que j'enterrais les deux bouteilles dans la neige.

« Quelle région merveilleuse ! pensai-je. Aucun besoin de seau à glace ! » Je passai mon temps d'attente à imaginer le nombre de grands crus que je pourrais rafraîchir dans un tel panorama. La poésie japonaise a raison : la contemplation des paysages est ce qui nous révèle le mieux.

Pétronille revint en déclarant qu'elle en avait sa claque.

— J'espère qu'elle est bien, ta surprise.

J'exhumai l'une des bouteilles de champagne. Après avoir ouvert des yeux éblouis, elle eut une réflexion typique d'elle :

— Évidemment, tu n'as pas prévu de flûtes.

Je déneigeai alors la deuxième bouteille.

— C'est pour ça que j'ai acheté deux bouteilles. Chacune boira la sienne.

— C'est d'un élégant, ton truc !

— L'idée, c'est de skier en buvant. Skier une flûte à la main, c'est pour James Bond, tu vois.

— Boire en skiant ? Tu es cinglée.

— Pratique, tout simplement, dis-je. Entamons la descente, je veux dire commençons à boire ici.

Nous débouchâmes les bouteilles. Quand elle eut bu la moitié de la sienne, Pétronille décréta que boire en skiant méritait d'être essayé.

— Le problème, c'est qu'on n'a pas trois mains, dit-elle.

— J'y ai pensé, répondis-je. Un bâton dans la main droite, la bouteille dans la gauche.

— Et le deuxième bâton, on en a besoin !

— En handisport, à la télévision, j'ai vu des skieurs manchots qui s'en tiraient très bien.

J'avais sacrément préparé mon argumentation. Elle était de nature à persuader une pochtronne qui ne demandait que ça.

Les deuxièmes bâtons furent donc accrochés à mon sac à dos et avantageusement remplacés par une bouteille de piper-heidsieck.

— Est-ce légal ? interrogea encore Pétronille.

— Ce qui n'a jamais été fait n'est ni légal ni illégal, tranchai-je d'un air définitif.

Elle s'élança la première. Je ne l'avais jamais vue skier si hardiment. Je me jetai dans la pente pour la rejoindre. L'impression était extraordinaire : c'était comme si l'air et la neige présentaient une moindre résistance. Le temps avait changé, lui aussi, tout se passait en un éclair d'extase qui donnait le sentiment de durer mille ans.

— Foutreciel ! m'exclamai-je quand je fus auprès d'elle.

Nous bûmes chacune une rasade d'or liquide.

— Ouais, enchaîna Pétronille. Le problème, c'est qu'il est impossible de se ravitailler en vol.

— Ce n'est peut-être pas indispensable.

— Attends, on voulait boire en skiant, non ?

— On n'est pas forcées d'atteindre une simultanéité absolue. C'est comme le café et la cigarette, ça va bien ensemble, mais on n'a jamais la fumée et le nectar en même temps dans la bouche.

— Ta comparaison ne tient pas la route.

— Boire du champagne suppose de pencher la tête en arrière : à ce moment-là, on ne voit plus la piste. Ce serait très dangereux.

— Pas si on boit vite.

— Ce serait dommage !

— Ça va, c'est pas du dom-pérignon, non plus.

J'écarquillai les yeux de la découvrir si snob. Elle en profita pour s'élancer à nouveau. Je cessai de respirer quand je la vis lever le coude et renverser la tête en slalomant. Elle porta le goulot à ses lèvres pendant une seconde qui me parut une heure. « Et dire que c'est moi qui suis à l'origine de cette brillante idée ! » me lamentai-je.

Mais il y a un dieu pour les skieuses alcooliques : elle en sortit indemne. Quand elle fut à l'arrêt, elle me regarda, levant les bras en un geste de triomphe.

Dessaoulée de peur, je la rejoignis.

— Tu ne m'imites pas ?

— Non, répondis-je. Et je te demande de ne plus rééditer cet exploit. Je n'ai pas envie d'avoir sur la conscience ta mort ou celle d'un tiers.

— Allons, c'est bien parce que je suis gentille.

Je me tus. « Gentille » était probablement l'adjectif qui lui convenait le moins au monde.

— On fait quoi, maintenant ? bougonna Pétronille en m'indiquant qu'il n'y avait plus rien dans sa bouteille.

— On skie jusqu'à ce que l'ivresse s'estompe.

— Très bien. On rentre au chalet dans cinq minutes, en somme.

Il fallut revoir ses prévisions à la hausse : nous skiâmes jusqu'au coucher du soleil. Nous accumulâmes les fous rires idiots, les prises de risques inconsidérées (aborder les bosses de face, couper la route à de grands crétins qui avaient l'air de s'exercer pour les Jeux olympiques), les déclarations fracassantes (« Les Savoyards, c'est pas des vrais Français ! » lança Pétronille), bref, nous nous payâmes du bon temps.

Le soir, d'excellente humeur, nous festoyâmes d'un mélange confus de tartiflette, de chocolat chaud, de brioche grillée, de cornichons, de barres d'Ovomaltine et d'oignon cru.

— Je pense que même un concert rock d'acariens ne pourrait pas m'empêcher de dormir, déclara Pétronille en s'effondrant sur son lit.

Je l'imitai et sombrai aussitôt dans un lourd sommeil d'ivrogne.

Au matin, verdâtre, elle m'annonça qu'elle n'avait pas fermé l'œil.

— Les acariens ont la vie dure. Je commence à avoir du mal à respirer.

Elle avait le souffle particulier des asthmatiques.

— Que va-t-il se passer ? demandai-je.

— Ça va empirer.

— Bon. J'appelle un taxi, on retourne à Paris.

— Attends. Donne-moi le contrat de réservation pour cette semaine de merde !

Je lui tendis les documents. Elle lut à la loupe tous les textes minuscules que personne ne déchiffre jamais. Une heure plus tard, elle s'écria :

— Je vais faire jouer cette clause d'annulation !

Elle téléphona au numéro inscrit en microscopique et n'eut pas besoin de simuler pour parler d'une voix d'asthmatique.

— Mourir d'une crise d'asthme, c'est fréquent, l'entendis-je dire.

Quand elle raccrocha, elle m'annonça que l'ambulance arrivait.

— Tu vas à l'hôpital ? demandai-je.

— Non. Nous rentrons à Paris, toi et moi. Tu es mon accompagnatrice, c'est légal.

— Nous rentrons à Paris en ambulance ?

— Oui, dit-elle avec fierté. Non seulement je te fais économiser une grosse somme, mais en plus, ce sera beaucoup plus rapide. Préparons les bagages.

Le pinpon de l'ambulance ne tarda pas à retentir. La loi exigeait que Pétronille y entre sur un brancard. Elle ne se fit pas prier.

Je crus d'abord qu'elle jouait la comédie, mais quand nous fûmes installées dans l'ambulance, elle allongée et moi assise auprès d'elle, je m'aperçus qu'elle était vraiment très malade. J'avais rencontré beaucoup plus asthmatique que moi.

Le trajet Acariaz-Paris dura six heures. Peu à peu, Pétronille retrouva son souffle et quelques couleurs. Les ambulanciers se montrèrent parfaits, compétents, rassurants. Arrivés dans le XXe arrondissement de Paris, ils lui demandèrent si elle voulait aller à l'hôpital ou chez elle. Elle assura qu'elle serait mieux dans son appartement.

Je l'aidai à monter ses affaires jusqu'à son cinquième étage sans ascenseur. Quand elle fut réinstallée, elle s'exclama :

— Les sports d'hiver, plus jamais.

— C'est précarisant ?

Elle ignora ma question et déclara :

— Nous ne dirons à personne que nous sommes rentrées, d'accord ? Je veux savoir ce que c'est d'être ignorée, à Paname, du 28 décembre au 1er janvier.

— Moi, je sais que tu es là.

— Oui. Tu as le droit de t'occuper de moi.

Elle considérait cela comme un authentique privilège. Puisqu'elle émergeait à peine d'une crise d'asthme très grave, je la ménageai. Je l'emmenai se promener lentement dans les jardins du château de Versailles, à Bagatelle et au Luxembourg. Au salon de thé Angelina, nous goûtâmes d'un mont-blanc et d'un chocolat chaud. Ces soins me valurent ce remerciement :

— Tu es très douée pour les programmes troisième âge.

— Ce n'est pas la gratitude qui t'étouffe, dis donc.

Le 31 décembre, j'eus beau téléphoner, je ne trouvai aucun restaurant où il restait l'ombre d'une place. Je proposai un réveillon champagne-œufs coque chez elle ou chez moi. Elle ne sembla pas emballée et dit :

— Et si on allait chez mes vieux ?

— Tu es sérieuse ?

— Quoi, tu veux pas ?

— Si ! Mais j'ai peur de les gêner.

Elle haussa les épaules et appela ses parents.

— Pas de problème, annonça-t-elle. Sauf si ça te dérange de côtoyer des gens de la section.

— La section ?

— La section communiste d'Antony.

Une telle étrangeté me donna encore plus envie d'y aller. En fin d'après-midi, Pétronille m'emmena dans le RER B. À Antony, nous prîmes un bus qui traversa une banlieue propre et déprimante. Les parents Fanto habitaient un pavillon que le grand-père avait construit de ses mains dans les années soixante. C'était ordinaire et confortable.

Pierre Fanto, un grand gars sympathique d'une cinquantaine d'années, me présenta aux invités de la section, un certain Dominique et une certaine Marie-Rose. Cette dernière, une vieille chèvre stalinienne, était aussi raide qu'effrayante. Françoise Fanto, une femme fine et jolie, servait l'assemblée avec une timidité qui n'étonna que moi.

Quels que fussent les propos, le but semblait d'obtenir l'aval de Marie-Rose. Je ne savais pas si elle était plus gradée que les autres, mais elle paraissait détenir la vérité. Ainsi, quand

Dominique osa dire que la Corée du Nord n'avait pas l'air de se porter à merveille, elle trancha aussitôt :

— Elle va beaucoup mieux que la Corée du Sud, et c'est ce qui nous importe.

Pierre évoqua son récent voyage à Berlin en s'inquiétant de la hausse des prix. Marie-Rose ne le laissa pas continuer :

— Tous les Allemands de l'Est ont conscience du bonheur perdu.

— Heureusement, il nous reste Cuba ! dit Pierre.

Je gardais le silence et j'observais Pétronille qui, habituée, ne réagissait pas et s'empiffrait de saucisson sec tandis que son père mettait de la musique. Mon manque de culture en matière de chanson française dépassant l'imagination, j'eus l'ingénuité de demander ce qu'on était en train d'écouter.

— Jean Ferrat, voyons ! répondit Marie-Rose avec indignation.

Pierre déboucha une bouteille d'un graves excellent : enfin une valeur que nous avions en commun. Le vin détendit l'atmosphère.

— Qu'est-ce qu'on mange ? interrogea Pétronille.

— J'ai préparé mon bœuf-carottes, répondit son père.

— Ah, le bœuf-carottes de Pierre, s'extasia Dominique.

Ce classique français, inconnu en Belgique, je le goûtai avec une vraie curiosité.

— Tu n'avais jamais mangé de bœuf-carottes ? dit Pierre, stupéfait.

— D'où venez-vous donc ? me demanda Marie-Rose.

— Je suis belge, déclarai-je, prudente, me doutant que toute autre information susciterait la méfiance.

Puis ils se mirent à parler de politique française avec fureur. 2002 avait été une année funeste et 2003 ne présageait rien de bon. Ils commentèrent diverses évolutions sociales qui les indisposaient au plus haut degré. Pierre concluait à chaque fois par un coléreux :

— C'est la faute à Mitt'rand !

Et l'assemblée de l'approuver haut et fort.

Aux abords de minuit, on en était toujours là. Françoise apporta une somptueuse charlotte au chocolat de son cru. J'en mangeai une portion non négligeable.

— Ça a de l'appétit, les Belges, approuva la section.

Je ne démentis pas. Quand retentirent les douze coups fatidiques, on but du champagne Baron Fuente.

— Le seul aristo qu'on verra chez moi, dit Pierre.

Il se défendait bien. En plus de ses innombrables autres bienfaits, le champagne a le talent de me réconforter. Et même quand je ne sais pas de quoi j'ai besoin d'être réconfortée, le breuvage le sait, lui.

Vers 2 heures du matin, je m'effondrai sur un vieux canapé du grenier et m'endormis à la seconde.

Plusieurs heures plus tard, je pris le RER pour Paris avec Pétronille.

— Ça va, tu n'es pas traumatisée ? me demanda-t-elle.

— Non. Pourquoi ?

— Les déclarations de la section.

— La réalité a dépassé mes plus folles espérances.

Elle soupira :

— J'ai honte de mon père.

— Tu as tort. Il est gentil et sympathique.

— Tu as entendu ce qu'il raconte ?

— Quelle importance ? Ces énormités sont inoffensives.

— Elles ne l'ont pas toujours été.

— Elles le sont devenues.

— Il se contente de répéter les discours de son père.

— Tu vois, c'est de la pure allégeance. La réalité ne compte pas, pour lui.

— C'est exactement ça. Eh bien, j'en ai souffert. Par exemple, puisque la propriété, c'est le vol, il n'a jamais fermé la maison à clef. Et nous avons été cambriolés je ne sais combien de fois. Ça m'a rendue dingue, je te jure.

— Je comprends. Et ta mère, elle pense comme lui ?

— Va savoir. Elle est aussi timorée qu'intelligente. Elle a la carte du Parti mais dans l'isoloir, je pense qu'elle vote socialiste.

— Elle craint ton père ? Il n'a pas l'air dangereux.

— Elle ne veut pas l'attrister. Mais elle n'est pas de son espèce. Ma mère n'aime rien tant que l'opéra. C'est elle qui a choisi mon prénom.

— Et ton incroyable culture littéraire, d'où te vient-elle ?

— C'est une création personnelle. Mon père ne lit que *L'Huma* ou des livres sur la Première Guerre mondiale, sa passion. Ma mère a des lectures que je qualifierais d'aimables.

— Je vois. Qu'est-ce que tu as dû te sentir seule !

— Tu n'as pas idée.

Par la fenêtre du RER B, je scrutais ce pay-sage pavillonnaire. Objectivement, il y avait pire que ces maisons souvent anciennes, ces rues paisibles et ces jardins bien tenus. Pourquoi ce panorama inspirait-il un si pro-fond désir de suicide ?

Il me sembla soudain entrevoir, à la fenêtre d'une habitation trop vite croisée, l'adoles-cence de Pétronille – la souffrance vraie d'une fillette aux goûts absurdement aristocratiques, acquise aux idéaux d'extrême gauche, mais heurtée par l'esthétique prolétarienne, ces bibelots d'une laideur sans complexe, ces lec-tures d'une bêtise choquante.

Je regardai à nouveau Pétronille. Elle était tellement mieux qu'une fille cultivée. Son air de mauvais garçon aux yeux de piment rouge, son petit corps nerveux et musculeux de prisonnier évadé – et cette curieuse dou-ceur du visage qui l'apparentait à Christopher Marlowe. Comme celui-ci, elle aurait pu avoir pour devise : « Ce qui me nourrit me détruit. » La grande littérature, qui avait constitué l'essentiel de son alimentation, était aussi ce qui l'avait maintenue à l'écart des siens, creusant entre elle et eux un fossé d'autant plus infranchissable que son clan ne le comprenait pas.

Ses parents l'aimaient et pourtant, ils avaient peur d'elle. Françoise, qui avait l'âme délicate, admirait les romans de sa fille et les comprenait parfois. Pierre n'y comprenait rien et ne voyait pas en quoi cette prose surclassait celle de son journal de bord.

J'éprouvai un puissant élan d'admiration pour Pétronille et je le lui dis.

— Merci, l'oiseau, répondit-elle.

Elle avait décrété, sans que je me confie à elle, que j'appartenais à la race aviaire. C'est dire la justesse de son instinct : depuis mes onze ans, la gent ailée m'obsède jusqu'au point de non-retour. J'ai tant observé les oiseaux que je dois par contagion avoir attrapé quelque chose de ce règne. Quoi, au juste ? Je doute que le langage puisse m'aider à l'exprimer.

On pourra m'objecter que onze ans, c'est tard. Oui, mais auparavant, d'aussi loin que remontent mes souvenirs, j'ai été obsédée par les œufs, et je le suis toujours. On ne peut nier la cohérence de mes fixations. Les onze années auront sans doute coïncidé avec la durée de couvaison. À onze ans, je suis devenue un oiseau. Lequel ? Difficile à préciser. Curieux hybride de sterne arctique, de cormoran, d'hirondelle et de poule d'eau, mais aussi de buse variable. Mes livres s'apparentent à mes pontes.

Parmi les étonnantes barbaries de l'espèce aviaire, signalons celle-ci : les oiseaux adorent manger des œufs. C'est un de leurs aliments préférés. Cela se vérifie avec moi. Mais ils préfèrent manger les œufs des autres. Je confirme : une fois que les miens n'ont plus besoin de mes soins, je préfère lire les livres des autres.

Pétronille publia en 2003 un roman magnifique, *L'Apocalypse selon Ecuador*. Il y était question d'une petite fille qui incarnait le mal. Ecuador avait une façon extraordinaire d'être diabolique. Les gens se réjouirent : autant pour les deux livres précédents il avait été impossible de faire du biographisme, autant celui-ci les y autorisait. « Ecuador, c'est vous enfant, n'est-ce pas ? » Elle les éconduisait avec une aimable habileté qui les irrita.

Les journalistes aimaient peu cette romancière qui ne donnait aucune prise sur sa vie. En compensation, elle plaisait beaucoup aux écrivains. Ils appréciaient son tempérament profondément littéraire et la qualité de sa lecture de leurs propres livres. J'en sais quelque chose et je suis loin d'être la seule. Pétronille noua des amitiés intenses avec nombre d'écrivains, dont Carole Zalberg, Alain Mabanckou, Pia Petersen et Pierrette Fleutiaux.

Sur ses amours, elle demeurait taciturne. Cette jolie garçonne faisait des ravages, mais je ne savais pas lesquels. Quand je me rendais à ses dédicaces, il y avait pas mal de filles ravissantes, sans que cela exclue de beaux jeunes hommes. Son ambiguïté sexuelle fascinait. Le plus drôle, c'est que plusieurs jeunes femmes vinrent me demander conseil. Ces ravissantes suscitaient ma compassion. Mon statut de compagne de beuverie était déjà ardu ; je n'osais imaginer la difficulté du sort d'une amoureuse de Pétronille. Je disais : « Vous savez, mademoiselle Fanto n'est pas une science exacte. »

Pour prudente qu'elle fût, cette réponse devait être encore trop risquée. En effet, il me revint aux oreilles qu'après de prévisibles désastres – liaison éclair, abandon immédiat –, les répudiées s'en prenaient à moi, m'accusant de leurs déboires.

Je me permets de m'en offusquer. S'il est une chose que je déteste encore plus que la jalousie, c'est l'indiscrétion. L'attitude des demoiselles éconduites n'était pas dénuée de logique – il était moins douloureux pour leur orgueil de s'imaginer victimes d'une manipulation perverse que de s'accepter décevantes – mais elle était parfaitement inconcevable pour moi. J'avais déjà tant de mal à comprendre mes amours, je n'allais pas m'occuper de celles des autres.

Par ailleurs, d'après le peu que je connaissais des mœurs de Pétronille, il n'y avait pas lieu de s'étonner de ses comportements. Elle déclarait elle-même devoir son caractère explosif à ses origines andorranes. Si elle avait possédé le couteau à cran d'arrêt dont elle rêvait, nul doute qu'elle s'en serait beaucoup servie. Un rien l'excédait. Quand je la voyais partir au quart de tour pour des motifs qui m'échappaient, j'essayais de la rattraper par l'humour et j'y réussissais parfois. L'une de mes méthodes consistait à dire : « C'est fou ce que tu ressembles à Robert de Niro devant son miroir dans *Taxi driver* ! »

Quand cela marchait, elle devenait illico Robert de Niro et répétait : « *You're talking to me ?* » avec l'accent ad hoc. Mais quand cela ne fonctionnait pas, elle piquait d'interminables colères dignes d'un chef de gang.

« Tu as fini de te prendre pour Lino Ventura dans *Les Tontons flingueurs* ? » Telle était alors ma dernière parade. Le nom de Lino Ventura agissait comme un joker.

« Papa ! » s'exclamait-elle.

Ventura était son père fantasmé. Lorsque la télévision diffusait un film où il jouait, Pétronille m'invitait à le voir chez elle. Son apparition à l'écran la mettait en transe :

« Tu ne trouves pas qu'il y a un air de famille ? demandait-elle.

— Il y a quelque chose.

— Il est mon père, j'en suis sûre. »

La probabilité que Françoise Fanto ait fauté avec le célèbre acteur au milieu des années soixante-dix avoisinait moins vingt, mais tant qu'à se choisir une figure paternelle idéale, Pétronille aurait pu tomber plus mal.

En 2005, je publiai *Acide sulfurique*. À ce jour, c'est le seul de mes romans qui suscita des réactions hostiles. On me reprocha de comparer la barbarie de certaines émissions de téléréalité avec celle de l'univers concentrationnaire. Les attaques furent malhonnêtes : mon roman, qui se situait dans un futur proche, ne prétendait pas qualifier qui que ce fût de fasciste. On était dans la fiction et c'est ce qui finit par calmer le jeu.

Il n'empêche que je traversai une période sinon difficile, au moins délicate. Le champagne fut un précieux allié, ainsi que celle qui était devenue mon satellite.

Pétronille venait alors de publier son roman le plus jubilatoire, *Les Coriaces*. Il s'agissait un peu de sa version du chef-d'œuvre hollywoodien *Qu'est-il arrivé à Baby Jane*. Elle estimait avec raison que la presse ne parlait pas assez

111

de son livre. Nous vidions nos flûtes en parta-geant nos déconvenues respectives.

Un jour, elle m'engueula :

— Tu ne te rends pas compte ! Je rêverais d'être à ta place !

— Tu crois que c'est agréable de recevoir des insultes ?

— Et être ignorée, tu penses que c'est facile ?

— Tu exagères. Ton livre ne passe pas ina-perçu.

— Arrête, je t'en prie. Je ne supporte pas ton espèce d'indulgence à la noix ! Dis tout de suite que mon bouquin ne méritait pas mieux.

— Procès d'intention. Je n'ai jamais dit ça, et pour cause : je ne le pense pas.

— Alors, cesse de pleurer sur ton sort. Tu n'es pas à plaindre.

— Je ne pleure pas, je l'ai seulement un peu mauvaise.

— Chochotte !

Nos chamailleries nous apparentaient à ses personnages : en plus jeunes, nous ressem-blions aux pochtronnes coléreuses qu'elle décrivait. Un écrivain se reconnaît à son caractère immédiatement prophétique : je ne sais pas si mon *Acide sulfurique* s'est vérifié quant à l'évolution de la téléréalité, mais je suis sûre que ses *Coriaces* se sont incarnées dans nos querelles de cet automne-là. Ce qui prouve, s'il le fallait, que Pétronille Fanto était un authentique écrivain.

À la fin de l'année, je trouvai ce message sur mon répondeur : « L'oiseau, prépare ton meilleur champagne. Je serai chez toi demain à 18 heures. J'ai une nouvelle à t'annoncer. »

Un dom-pérignon 1976 fut aussitôt mis à rafraîchir. Qu'allait-elle donc me dire ? Avait-elle rencontré quelqu'un ? Était-elle amoureuse ?

Elle but la première gorgée avec délices et déclara que cela lui manquerait.

— Tu arrêtes l'alcool ? demandai-je, très inquiète.

— En quelque sorte. Je pars.

— Où ?

Elle eut un geste vague qui balayait d'immenses territoires.

— Je vais traverser le Sahara à pied.

Dans la bouche de n'importe qui d'autre, un tel propos m'eût amusée. Mais Pétronille n'était pas velléitaire pour deux sous et je sus qu'elle allait vraiment effectuer cette folie.

— Pourquoi ? balbutiai-je.

— Il le faut. Si je reste ici plus longtemps, je vais attraper les vilaines manières des gens de lettres.

— C'est évitable. Regarde, moi, je ne les ai pas.

— Tu n'es pas normale. Moi, j'ai besoin de ça, je t'assure. Je ne veux pas devenir une personne rance.

— Rance, toi ? C'est impossible.

— Je viens d'avoir trente ans.

C'était insoupçonnable. Elle semblait à peine plus âgée que lors de notre première rencontre, où je lui avais donné quinze ans. Elle en paraissait dix-sept.

— Combien de temps pars-tu ?

— Va savoir.

— Tu reviendras ?

— Oui.

— Tu es sûre ?

En guise de réponse, elle sortit de son sac un paquet qu'elle me tendit.

— Je te confie mon nouveau manuscrit. Il a de la valeur. Les éditeurs, j'en ai ma claque. Si tu trouves qu'il mérite d'être publié, je te demande de t'en occuper. Je suis fière de ce manuscrit et j'ai bien l'intention d'en assumer la maternité. Donc, considère-le comme la preuve que je reviendrai.

Je bus avec effort une gorgée du meilleur champagne du monde.

— J'apprécie que tu ne me proposes pas de m'accompagner, dit-elle.

— Je suis comme toi : je n'annonce jamais des choses que je ne ferai pas. Le Sahara à pied, c'est évidemment sublime, mais ce n'est pas pour moi. Quand pars-tu ?

— Demain.

— Pardon ?

— Il le faut. Sinon, je vais avoir une attitude de gendelettres : je vais attendre ce que tu penses de mon manuscrit.

— Je peux le lire cette nuit.

— Non. Je te connais : tu ne lis jamais en état d'ivresse.

— Comment sais-tu que je serai ivre ? demandai-je en portant la flûte à mes lèvres.

Elle rit de son merveilleux rire plein de santé.

— Tu vas me manquer, dis-je.

J'avais le menton qui tremblait.

— Ce que tu es sentimentale ! s'écria-t-elle, les yeux au ciel.

En effet, j'appartiens à la race de ceux qui pleurent quand leurs amis partent sans connaître la date de leur retour. J'ai une très grande expérience des séparations, je sais mieux que personne leur danger : quitter quelqu'un en se promettant qu'on va se revoir, cela présage les choses les plus graves. Le cas le plus fréquent, c'est qu'on ne revoit pas l'individu en question. Et ce n'est pas la pire éventualité. La pire consiste à revoir la personne et à ne pas la reconnaître, soit qu'elle ait réellement beaucoup changé, soit qu'on lui découvre alors un aspect incroyablement déplaisant qui devait exister déjà mais sur lequel on avait réussi à s'aveugler, au nom de cette étrange forme d'amour si mystérieuse, si dangereuse et dont l'enjeu échappe toujours : l'amitié.

Les grands sentiments ont besoin de combustible. Il fallut déboucher une deuxième bouteille. Quand je sus que j'allais cesser d'être présentable, je jetai Pétronille dehors.

Par la fenêtre, je regardai s'éloigner dans la nuit la petite silhouette frêle. Les larmes déferlaient sur mes joues.

— Comment vais-je faire sans toi, espèce de singe ? l'apostrophai-je.

J'allai m'effondrer sur mon lit, plus morte que vive.

Au matin, quand j'eus fini d'écrire, j'ouvris le paquet de la fuyarde et je vis le titre de son manuscrit : *Je ne sens pas ma force.* « C'est

bien vrai, ça », pensai-je. Je le lus dans la fou-
lée. Je préfère n'en rien dire sinon ceci : si
un texte méritait l'adjectif « terrible », c'était
celui-là.

Il allait falloir présenter ce roman aux éditeurs à la place de miss Fanto. Ce ne serait
pas de la tarte. « Sacrée Pétronille ! Tu viens à
peine de partir et tu es déjà encore plus embê-
tante que quand tu es là ! »

Je suis quelqu'un qui tient ses engagements.
Je fis l'après-midi même des photocopies du
manuscrit et les expédiai à divers éditeurs en
laissant mon nom et mon adresse. Le résultat
fut à la fois à la gloire et au déshonneur de
l'édition française. Que mon nom accélère
les démarches, c'est dans l'ordre des choses.
Que tous les éditeurs refusent un texte aussi
beau et périlleux, c'est une honte. Mais signalons qu'aucun d'entre eux ne m'attribua
ce manuscrit. Ce qui prouve une chose admirable et rassurante : on sait encore lire, dans
cette ville.

Pour autant, je n'allais pas m'avouer vain-
cue. Puisque les envois postaux n'aboutis-
saient pas, j'irais en personne apporter le
manuscrit aux maisons d'édition. Que je me
déplace exprimerait la profondeur de ma
conviction.

Dont acte. S'ensuivirent un grand nombre de rendez-vous : on me recevait avec ahurissement, car ma réputation de fidélité envers Albin Michel est celle de Pénélope envers Ulysse. Je me hâtais de décevoir en annonçant que ce n'était pas mon texte qui motivait cette visite.

— Vous faites cela pour beaucoup d'auteurs ? me demandait-on.

— C'est une première et cela restera unique.

Il me fallait alors attendre leur verdict.

Accessoirement, j'étais aussi un écrivain et un être humain. Je continuais donc à écrire et à vivre.

Le plus difficile fut de trouver un autre compagnon de beuverie. Comble de malchance, l'excellente Théodora, qui buvait avec tant de grâce, choisit ce moment pour s'installer à Taïwan. L'année 2006 serait pour moi ce qu'elle serait pour Pétronille : une traversée du désert.

De toute façon, l'heure n'était pas au plaisir. Les refus qu'essuyait le manuscrit de Pétronille par mon intermédiaire m'affectaient de plus en plus. Il se trouva même une éditrice jeune et sympathique pour me dire in texto :

« Ne vous donnez pas tant de mal pour cette Fanto. Vous savez bien que dans le monde des lettres, les prolétaires n'ont aucune chance. »

Je n'aurais pu inventer une pareille déclaration et j'en restai sans voix. Si je l'écris ici, c'est parce que je ne peux pas occulter qu'à Paris, en 2006, une telle chose m'a été signifiée le plus sérieusement possible. À d'autres que moi le soin de commenter.

Quand mon moral coulait, je me réconfortais en pensant : « Imagine qu'un éditeur accepte ce texte et réclame l'auteur. Tu te verrais contrainte de dire que Pétronille Fanto est dans le Sahara pour une durée indéterminée et le contrat serait ajourné, et donc aussitôt oublié. Il y aurait de quoi grincer des dents, non ? C'est mieux ainsi. »

J'avais aussi mes propres romans à défendre. Mon éditrice italienne m'envoya faire des dédicaces à Venise, où je débarquai en plein carnaval. Dans les rues, on me félicitait pour mon déguisement. Je portais simplement ma tenue de travail. Il y eut une controverse autour de mon chapeau, qui selon les Français était celui d'un prêtre réfractaire et selon les Italiens celui d'un médecin pendant l'épidémie de peste.

À l'automne j'observai les migrations des oies sauvages. « Pétronille, quand reviendras-tu ? » Il va sans dire que je n'avais aucune nouvelle. Elle était peut-être morte. En même temps, comme je ne lui avais toujours pas trouvé d'éditeur, elle avait raison de ne pas être là.

Je lus ce texte de Rimbaud à la veille de disparaître : « *Je reviendrai, avec des membres de fer, la peau sombre, l'œil furieux : sur mon masque, on me jugera d'une race forte. J'aurai de l'or : je serai oisif et brutal.* »

Ces mots splendides résonnèrent curieusement en moi. Reverrais-je Pétronille un jour ? Si oui, en quel état ?

En novembre, je trouvai une compagne de beuverie digne de ce nom en la personne de Nathanaëlle, une jeune amie fraîchement installée à Paris. C'était une fille fiable à cent pour cent, ce qui est la caractéristique la plus importante pour ce rôle : après plusieurs flûtes de champagne, on révèle forcément ses secrets. Par définition, la confiance est absolue, les êtres de confiance se comptent donc sur les doigts d'une main.

La deuxième caractéristique la plus importante de la compagne de beuverie consiste à ne pas cracher dans son verre. Sinon, on a l'impression de boire seule, ce qui est précisément ce que l'on veut éviter.

La troisième caractéristique attendue est d'avoir le vin gai : le but n'est pas de partager de l'aigreur. Nathanaëlle s'avéra idéale. En cette matière comme en toutes les autres, il ne s'agissait pas de remplacer qui que ce soit : personne ne remplace personne. Mais la vie redevint plus légère.

La malédiction éditoriale ne devait frapper que 2006. Fin janvier 2007, je reçus une réponse favorable de Fayard pour le manuscrit de Pétronille. Ma joie fut plus vive encore que lors de l'acceptation de mon premier roman par Albin Michel. « Il ne me manquerait plus que la présence de l'auteur et tout serait parfait », pensai-je.

Comme la lettre de Fayard stipulait qu'on désirait rencontrer mademoiselle Fanto, je songeais à engager une actrice ressemblante pour jouer le rôle quand le téléphone sonna :

— C'est Pétronille.

— Pétro ! Tu m'appelles du désert ?

— Non, je suis à la gare Montparnasse. Viens me chercher, j'ai oublié comment ça fonctionne ici.

Je courus à la gare, m'attendant à tomber sur la réincarnation de Lawrence d'Arabie.

Elle n'était que marron foncé, les yeux exaltés, le corps amaigri, mais on la reconnaissait.

— Salut, l'oiseau.

— Où veux-tu aller ? Chez toi ?

— Je ne sais pas. J'habite où ?

Tandis qu'un taxi nous conduisait dans le XXᵉ arrondissement, je la pressai de raconter. Elle ne disait rien, ou presque.

— Nous sommes le 31 janvier, lui dis-je. Tu es partie plus d'un an. Est-ce que l'expérience t'a plu ?

— Au-delà. Au-delà !

Par bonheur, j'avais un double de ses clefs, car elle n'avait plus les siennes. Elle contempla son appartement avec stupeur.

— Ça va me faire bizarre de ne pas dormir sous le ciel.

Le sol était jonché de factures et autres courriers que la concierge avait glissés sous la porte. Pétronille ramassa et jeta tout à la poubelle. J'intervins :

— Les impôts ?

— Je n'étais pas en France en 2006. S'ils ne sont pas contents, qu'ils me mettent en prison. J'ai faim. Qu'est-ce qu'on mange dans ce pays ?

Au bistrot du coin, je lui commandai d'autorité du petit salé aux lentilles, pour qu'elle se réacclimate à son biotope. Ensuite, je lui annonçai la grande nouvelle :

— J'ai trouvé un éditeur pour ton manuscrit.

— Ah oui, répondit-elle, comme si c'était la chose la plus normale du monde.

Moi qui savais combien cela avait été difficile, je l'eus un peu mauvaise. Je fus tentée de lui raconter les humiliations que j'avais essuyées en son nom. J'y renonçai, parce que c'était trop laid. Et, de dégoût, elle aurait risqué de retourner aussitôt dans le Sahara.

Le pire, c'est que je la comprenais : que son texte ait trouvé éditeur était en effet la chose la plus normale du monde.

— C'était quoi, déjà, mon manuscrit ?

— *Je ne sens pas ma force.*

— Je ne sens pas ma force ? C'est bien vrai, ça.

— Tu devrais le relire. Fayard veut te rencontrer.

— Rien ne presse.

— Si. J'ai pris rendez-vous pour toi le 6 février.

C'était faux, mais elle commençait à m'énerver avec son détachement.

Les assiettes arrivèrent. Pétronille se mit à manger les lentilles avec ses mains.

— Tu en fais trop, là, dis-je.

— Les Touareg, fit-elle d'un air lointain.

— Je n'en doute pas. Mais le 6 février, si par miracle l'éditeur t'invite à déjeuner, tu te sers de tes couverts.

L'après-midi, je la mis d'autorité au lit, bien qu'elle prétendît dormir à même le plancher, et j'appelai Fayard pour fixer le rendez-vous du 6 février.

Je passai les jours suivants en apnée à l'idée que Pétronille ait une attitude désastreuse pendant ce rendez-vous.

Le 6 février au soir, elle me téléphona pour m'assurer qu'elle avait produit la meilleure impression. Comme cela pouvait vouloir tout dire, je lui demandai si elle avait signé un contrat.

— Pour qui me prends-tu ? Bien sûr. Mon livre paraîtra à la rentrée, comme le tien.

Je l'invitai aussitôt à sabler le champagne et constatai avec soulagement que les Touareg n'avaient pas réussi à l'en dégoûter.

Le désert devait rester une zone d'ombre dans la vie de Pétronille. Quand j'essayais de l'en faire parler, elle esquivait. Un jour, je la provoquai :

— Tu n'es jamais allée dans le Sahara. Pendant treize mois, tu t'es cachée à Palavas-les-Flots.

— Si c'était le cas, je te bassinerais de récits sur le désert.

Un soir, comme nous entamions une deuxième bouteille d'un excellent dom-ruinart blanc de blanc, elle me confia avoir désormais un très mauvais sommeil.

— C'est depuis mon retour, dit-elle. Je ne supporte plus ce tintamarre urbain.

— Ton quartier n'est pas si bruyant.

— Si, comparé au Sahara. Tu n'as pas idée du silence de là-bas. Dans le désert, ce que je préférais, c'était les nuits. J'installais ma tente le plus loin possible des Touareg. On ne sait pas ce que c'est que le silence si on n'a pas écouté celui-là.

— Ce n'est pas angoissant ?

— Au contraire. Il n'y a pas plus apaisant. Je dormais comme un ange. Parfois, je me réveillais pour un besoin. Le sable était si blanc, si lumineux, que j'avais l'impression de marcher dans de la neige. Au-dessus de moi, je voyais un ciel pas croyable, des étoiles en surnombre, plus grandes et plus brillantes, comme les constellations d'il y a cent mille ans. J'en aurais pleuré de bonheur.

— Pas de serpents ?

— Je n'en ai pas aperçu. Au matin, je rejoignais la caravane. Les hommes cuisaient le pain dans le sable. C'était parfait. Je ne sais pas pourquoi je suis revenue ici.

— Pour boire du champagne avec moi.

— Sacré métier.

— Eh oui. Il faut tenir.

Même si elle n'en parla pas, elle dut se réjouir de la parution de *Je ne sens pas ma force*. Ce roman fit l'admiration des happy few. Au nombre de ceux-ci, il y avait mon père.

— Nietzsche est ressuscité, me dit-il. Qui est l'auteur ?

Après réflexion, je décidai que Patrick Nothomb, qui avait bavardé avec des rebelles armés jusqu'aux dents et bu du thé en compagnie de Mao, était de taille à rencontrer Pétronille.

Mes parents nous reçurent à déjeuner à Bruxelles. Ma mère, qui est incapable de ne pas déformer un titre, félicita l'invitée pour *Que la force soit avec vous*.

— Maman, tu l'as lu ? lui demandai-je sotto voce.

— Oui. Je n'ai pas compris de quoi ça parlait, mais c'était très beau.

Pendant ce temps, mon père, avec un embarras plein de dignité, expliquait à Pétronille en quoi son livre était un chef-d'œuvre. Je m'aperçus qu'elle était impressionnée. C'était un visage que je ne lui avais jamais vu.

À table, ma mère l'interrogea sur son parcours.

— J'ai grandi en banlieue parisienne, dit-elle.

Mes parents, qui ne connaissaient de la France que les informations télévisées, la considérèrent avec effroi. Pétronille dut sentir qu'ils la prenaient pour une gosse des cités et ne fit rien pour dissiper le malentendu.

J'entrai dans son jeu :

— Tu as souvent brûlé des voitures ?

— Jamais après l'âge de treize ans.

— Tu étais passée à autre chose ?

— Ouais. Ma bande s'est mise au crack. J'ai pris mes distances et j'ai commencé à lire Shakespeare.

L'admiration de mes parents pour l'écrivain atteignit des cimes.

Dans le train du retour, j'éclatai de rire.

— C'était quoi cette comédie ?

— Tu ne te rends pas compte. Ton père m'en a tellement imposé. Je voulais être à la hauteur.

— Tu l'as été. Mais la stricte réalité te rend encore plus estimable, si tu veux mon avis.

— Ta mère est un peu spéciale, non ?

— Ne t'inquiète pas. Elle dit que mon titre le plus connu est *Cris et chuchotements*.

J'étais convaincue que son livre suivant traiterait du désert. Je me trompais : début 2009 parut *Aimer le ventre vide*. Il y était question d'un coureur de dot au début du XXe siècle, dans le sud des États-Unis.

Ce roman d'aventures connut un vrai succès. Lors d'une émission littéraire, Pétronille attira l'attention de Jacques Chessex. Le grand écrivain suisse fut intrigué par ce bâton de dynamite humaine et lui envoya l'une de ces lettres stupéfiantes dont il avait le secret :

Chère Pétronille Fanto,
Votre roman confirme ce que j'ai vu : vous êtes un enfant et vous êtes un ogre.
Vous faites désormais partie de mes fous.
Jacques Chessex

La justesse du propos me frappa. Que ce spécialiste des ogres l'ait qualifiée de tel avait valeur d'avertissement.

— Quand je passe du temps avec toi, je me sens dévorée. Il a raison, dis-je.

— Ça n'a pas l'air de te déplaire. Mais pourquoi dit-il que je suis un enfant ?

— Demande-lui.

Le sujet était délicat. On n'avait pas le droit de lui dire qu'à trente-quatre ans, elle en paraissait dix-huit.

Je ne sais pas si elle posa la question à Chessex, mais leur correspondance s'intensifia. Quand l'écrivain suisse mourut, à l'automne de cette année-là, Pétronille porta son deuil avec la rigueur d'une fille pour son père.

Comme je lui voyais le visage tuméfié, mais d'un seul côté, je ne pus croire qu'elle avait trop pleuré.

— Tu fais de la chirurgie esthétique ? C'est ça, le secret de ton éternelle jeunesse ?

— Non.

— Qu'est-ce que tu as ? Rassure-moi.

— J'essaie des médicaments pour des laboratoires pharmaceutiques.

— Vraiment ? Pourquoi ?

— Pour gagner de l'argent.

— C'est légal ?

— Pas des masses.

— Tu es folle, Pétro !

— Ce n'est pas avec mes droits d'auteur que je paie les factures, figure-toi.

— Tu t'es regardée dans un miroir, là ? On dirait la moitié d'un frère Bogdanov.

— Ça passera.

— Tu es sûre ?

— Oui. C'est du Bromboramase, ça soigne la gastro.

— Moi, j'aurais ta gueule, j'attraperais une gastro illico !

— Tu es une chochotte. Encore heureux que tu ne m'aies pas vue la semaine dernière, après la Gascalgine 30H. C'est un médicament qui facilite la circulation artérielle.

— Et alors ?

— Je ne pouvais plus ouvrir les yeux, tellement le contour en était boursouflé. Je n'exagère pas : pendant deux jours, j'ai été techniquement aveugle.

— J'espère que le laboratoire t'a payé les heures supplémentaires.

— Tant que c'est seulement le corps, ça va.

— Je ne comprends pas.

— Quand les effets secondaires s'en prennent au cerveau, tu rigoles moins. Il y a un mois, j'ai testé un truc contre la dépression post-partum. J'ai compris après coup pourquoi c'était efficace : j'y ai perdu cent pour cent de ma mémoire récente. Tu imagines, la mère qui vient d'accoucher, elle ne sait même plus qu'elle a été enceinte. Quand elle voit son bébé, elle se demande qui c'est.

— Et pour toi, comment ça s'est passé ?

— Je ne me souvenais de rien depuis mon retour du désert. L'amnésie a duré plusieurs jours.

— Pétronille, je t'en supplie, arrête ce métier maléfique.

— Et comment je mange ?

— Je peux te donner de l'argent.

— Ça va pas, non ? Je suis une femme libre.

En temps normal, cette déclaration aurait provoqué mon hilarité. Là, elle me serra le cœur : pouvait-on laisser cette gamine folle s'occuper d'elle-même ?

— Tu n'as jamais peur d'en garder des séquelles ? demandai-je.

— Je suis quelqu'un de très courageux.

— Jusqu'à l'inconscience, oui.

— Et puis, je m'amuse. Il y a un côté apprenti sorcier : on ne sait jamais ce qui va se produire.

— Tu n'as pas besoin de jouer à ça. *Aimer le ventre vide* se vend bien.

— On ne touche les droits d'auteur que l'année suivante, comme tu sais.

— Demande une avance. Ton éditeur te l'accordera.

— J'ai ma dignité.

— Tu la places mal.

— Fiche-moi la paix, l'oiseau. Tu es qui pour me dicter ma conduite ? Tu dépenses tous tes droits d'auteur en champagne !

— Vu comme tu m'aides à le boire, tu n'as pas à t'en plaindre. D'ailleurs, est-ce que tes médicaments sont compatibles avec l'alcool ?

— Laisse-moi tranquille.

Désormais, je vécus dans l'angoisse. Je me mis à appeler Pétronille tous les jours. Avec les gens que j'aime, j'ai un côté mère poule contre lequel je ne peux rien. En l'occurrence, je ne pense pas avoir eu tort. Très vite, elle ne décrocha plus quand elle voyait s'afficher mon numéro. Cela ne contribua pas à me rassurer.

En novembre, à la Foire du livre de Brive, il me sembla que Pétronille était bizarre. Je le lui dis.

— Tu as vu comment tu me regardes ? C'est ton regard qui me rend bizarre, répondit-elle.

— Pas sûr.

— En quoi consiste ma bizarrerie ?

— Tu rigoles tout le temps, tu manges sans arrêt.

— Oui. Ça s'appelle la Foire du livre de Brive-la-Gaillarde.

Elle avait peut-être raison. Mais le mois suivant, ce fut elle qui me téléphona, vers minuit :

— Qu'est-ce qui me prouve que je ne suis pas toi ? Il n'y a pas de frontière entre les êtres. Amélie, j'ai la sensation physique du champagne que tu as bu ce soir.

— Le médicament que tu testes en ce moment, c'est du LSD ?

— Je regarde Paris par la fenêtre, tu sais que la tour Eiffel est creuse ? C'est une rampe de lancement pour les fusées.

— Tu confonds avec Kourou en Guyane.

— Ça, c'est pour la navette spatiale. La tour Eiffel, c'est pour les fusées privées. Avec une vitesse de satellisation de 11 kilomètres par seconde, on quitte rapidement l'atmosphère.

— Tu m'appelles à l'aide ?

— Non. Je voulais t'avertir que je pars avec toi. Je ne peux pas te laisser seule dans l'espace, j'ai vu comment tu découpes les citrons. Mais par pitié, enlève ce pyjama orange, cette couleur me donne envie de vomir.

— J'arrive.

Rien ne peut exprimer mon anxiété lors du trajet jusqu'à son appartement. Je montai les escaliers quatre à quatre et trouvai Pétronille en train de faire frire du poisson.

— Tu en veux ? me demanda-t-elle le plus naturellement du monde.

Elle le transvasa de la poêle dans l'assiette et attaqua.

— Tu manges du poisson à une heure du matin ?

— Oui. Ne tire pas cette tête. C'est légal.

L'odeur ne m'en convainquit pas. Pendant qu'elle s'empiffrait, je regardai la cuisine : il y régnait un désordre à peine concevable. C'était l'antre d'un garçon célibataire.

— Tu n'as pas envie de te mettre en couple ?

— Ça va pas, non ? répondit-elle indignée, la bouche pleine.

— Qu'est-ce qu'il y a de si grave dans ma question ?

— Tu sais bien que je ne supporte personne.

— Et que personne ne te supporte ?

— Ce n'est pas mon problème. Je suis enchantée de ma liberté.

J'avisai une plaquette de pilules et m'en emparai :

— Extrabromélanase... C'est ça qui te rend si libre que tu m'appelles à minuit ?

— Fallait pas décrocher si ça t'embêtait.

— Mais je me fais un sang d'encre pour toi ! Quand ton numéro s'affiche, je prends. Et vu ce que tu me racontes, il y a de quoi paniquer. Qu'est-ce que c'est censé soigner, ce truc ?

— Ça stabilise les schizophrènes.

— Pétronille, je t'interdis d'avaler encore la moindre pilule. Tu vas écrire tout de suite un rapport sur ce médicament en précisant ses effets gravissimes.

— N'exagérons rien.

— Qu'est-ce qu'il te faut ?

— Je suis jeune, j'ai le goût du risque et j'adore le côté roulette russe de ce métier qui, par ailleurs, rapporte bien. Voilà.

— Tu pourrais mourir, tu sais.

— Je sais. C'est pour ça que j'ai parlé de roulette russe.

135

— Et moi ? Tu as pensé à moi ?

— Tu peux vivre sans moi.

— Oui. Mais moins bien. Que tu es égoïste ! Et puis, tu peux aussi ne pas mourir, et garder des séquelles terribles.

— Qu'est-ce que tu proposes ?

— Trouve un autre gagne-pain.

— J'ai essayé. J'ai été serveuse, pionne, répétitrice d'anglais. C'était assommant et ça ne me laissait pas le temps d'écrire. Sais-tu que tu es l'une des rarissimes privilégiées à pouvoir vivre de ta plume ? Un pour cent des écrivains publiés y parviennent. Un pour cent !

— C'est le plus beau métier du monde. On ne peut pas espérer qu'il soit facile.

— Il a l'air facile quand on te regarde. J'ai toujours rêvé d'être écrivain, mais c'est de t'avoir vue qui m'a persuadée d'essayer pour de vrai. On se dit que si toi tu y arrives, on peut y arriver.

— Et on a raison.

— On se trompe : ce n'est pas une question de talent. Je t'ai observée : je ne dis pas que tu n'as pas de talent, je dis, pour t'avoir examinée longtemps, que ça ne suffit pas. Le secret, c'est ta folie.

— Tu es mille fois plus folle que moi, avec ou sans tes médicaments !

— C'est ta folie, j'ai dit : ta manière d'être folle. Des gens fous, il y en a partout. Des fous comme toi, ça n'existe pas. Personne ne sait en quoi consiste ta folie. Pas même toi.

— C'est exact.

— Et c'est là que réside l'arnaque. On devient écrivain à cause de toi, sans se rendre compte que personne ne dispose de ton combustible.

— Et alors ? Tu regrettes ? Tu as écrit des romans formidables !

— Je ne regrette rien. Mais laisse-moi esquinter ma santé, puisque c'est le prix à payer.

— En ce cas, ne me prends pas à témoin. Ne m'appelle pas à minuit pour me dire que la tour Eiffel sert de rampe de lancement aux fusées privées.

— J'ai fait ça, moi ?

— Pourquoi crois-tu que je suis là ? Nous avons un problème, Pétronille. Te laisser comme ça, c'est de la non-assistance à personne en danger. Viens habiter chez moi.

— Habiter chez toi ? L'enfer sur terre.

— Je te remercie.

— Je promets de ne plus te téléphoner à minuit. Tu peux partir, maintenant.

Début janvier 2010, je reçus un appel de l'hôpital Cochin :

— Nous avons une patiente, Pétronille Fanto, qui assure que vous êtes disposée à l'héberger quelque temps.

— Qu'est-ce qu'elle a ?

— C'est mystérieux. Elle a développé une allergie à… beaucoup de choses. Et elle ne peut pas rester seule en ce moment.

Une grande traumatisée arriva chez moi.

— Tu as encore trouvé le moyen de te faire conduire en ambulance, dis-je.

— Ce n'est pas drôle.

— D'accord. Tu ne testeras plus de médicaments ?

— Plus jamais.

Elle ne voulut pas me raconter. Cela semblait avoir atteint des proportions impensables.

Notre cohabitation dura près de trois mois. Elle s'avéra difficile. Pétronille ne supportait ni la poussière, ni la couleur orange, ni l'odeur du fromage, ni mes fleurs séchées, ni ma musique (« C'est atroce, tes hymnes gothiques ! »), ni mon mode de vie (« Je te croyais belge, mais tu es allemande ! » – je n'ai pas su ce que cela voulait dire).

Pour ma part, je la trouvais changée. L'intolérance à ce médicament inconnu l'avait profondément choquée : elle était devenue hypocondriaque, ultra-sensible au bruit et à des choses très curieuses comme les M&M's, mon tableau de tournesols sous la neige, mon déodorant, le chandelier de la cuisine (« On n'a pas idée, un chandelier dans une cuisine ! »). Enfin, elle s'entendait mal avec mes cactus. Même boire du champagne avec elle n'était plus aussi agréable qu'avant. Je la sentais tendue en permanence, d'une susceptibilité hors norme. Nous nous disputions souvent, pour des motifs incompréhensibles.

Un jour, j'eus le malheur de maudire la pilule qui l'avait altérée. Cela mit le feu aux poudres : Pétronille partit avec ses affaires. Je sus qu'il ne fallait plus aborder ce sujet.

Rien de nouveau sous le soleil : ce n'est pas parce qu'on adore quelqu'un que la cohabitation fonctionne. Comme d'habitude, Pétronille se tut pendant des semaines. Notre lien avait connu tant de ces silences. Pendant celui-là, je pensai à elle avec une fierté guerrière. Pétronille était ce glorieux soldat qui n'avait pas cherché à se protéger et qui, revenu amoché et victorieux du précédent combat, remontait au front de la littérature.

En cette époque de mijaurées où l'on abuse du mot violence, la jeune romancière avait exposé son corps à un risque réel pour pouvoir continuer d'écrire. Elle avait illustré d'une manière singulière le livre de Leiris, *De la littérature considérée comme une tauromachie*, associant l'acte d'écrire à un péril vrai, l'adoubant ainsi d'inactuels lauriers.

Quand Pétronille était fâchée, je lui laissais l'initiative. Elle me recontacta quelques mois plus tard pour m'annoncer qu'elle allait publier un roman chez Flammarion et qu'elle était désormais critique littéraire dans un important hebdomadaire luxembourgeois. Ce dernier point me stupéfia.

— Quel rapport entre le Luxembourg et toi ? Tu as un compte secret ?

— Tu sais bien que je n'ai pas d'argent.

C'était exact. Je ne connaissais personne d'aussi fauché. Un jour que je la vis avec des chaussettes trouées, je lui suggérai d'en acheter de nouvelles ; elle répondit qu'il suffisait de superposer plusieurs paires. « Les chaussettes ne se trouent jamais au même endroit », philosopha-t-elle.

— Mais comment as-tu trouvé une place aussi prestigieuse ? insistai-je.

— Ce serait trop compliqué à t'expliquer.

La vie de Pétronille regorgeait de tels mystères. Cette aventurière de l'écriture ne manquait pas d'entregent. Sa chronique littéraire fut rapidement lue par nombre de Français, épatés par l'indépendance de ses opinions et l'élégance de sa plume. Elle devint une instance estimée.

Le danger d'un tel statut est le ronronnement. Combien auraient profité de cette situation pour jouer au notable des lettres ? *La Distribution des ombres* lui valut un prestigieux prix littéraire, comme son roman précédent, ce dont n'importe quel autre écrivain se fût vanté *ad nauseam*. Pétronille n'eut pas l'air de s'en apercevoir.

Ce fut l'année suivante, je crois, que cela commença. Il est difficile de raconter un phénomène dont on ignore à peu près tout.

Il semblerait que Pétronille fût tombée amoureuse. Mais je n'en suis pas sûre.

De qui ? Je le sais encore moins. Et avec quel succès ? Je l'ignore.

Comme elle était redevenue ma compagne de beuverie, je la cuisinais quand elle était aussi ivre que moi, en vain. Le champagne la rendait diserte sur bien des sujets, sauf celui-là.

Au demeurant, cela ne l'empêcha pas d'écrire. L'amour n'a pas la réputation de tarir l'inspiration.

En 2012, elle publia le plus beau roman apocalyptique que je connaisse, *Les Immédiates*. Puis on put lire d'elle une fiction fantastique sur le tatouage, *Le Sang de chagrin*. Même si cela ne sautait pas aux yeux, chacun de ces livres était, à sa manière, une histoire d'amour.

Pétronille voyagea. Elle partit à Budapest. Elle disparut à New York. Elle disait qu'elle voulait, comme Frédéric Moreau dans *L'Éducation sentimentale*, connaître « la mélancolie des paquebots ».

— Tu es allée à New York en paquebot ? m'étonnai-je.

— Ce qui compte est d'en avoir l'impression, répondit-elle énigmatiquement.

Début 2014, j'eus vent d'une affaire à ce point énorme que je ne la voulus pas croire : on me rapporta que Pétronille se livrait, plusieurs soirs par semaine, dans les milieux dits de la nuit, à un numéro de roulette russe.

J'en ris tout mon saoul, et je songeais à téléphoner à l'intéressée, histoire de lui raconter ce qui circulait sur son compte – « On ne prête qu'aux riches », lui aurais-je dit –, quand elle m'appela :

— Je ne pourrai pas venir jeudi soir.

— Quel jeudi soir ? Le prochain ?

— Le 20 mars.

— Mais c'est ton anniversaire.

— J'ai du travail.

— Tu as du travail le soir de ton anniversaire ?

— C'est comme ça.

— Tu m'avais réservé ta soirée !

— N'insiste pas.

Elle raccrocha. Je l'eus mauvaise. Je voulus me persuader qu'il s'agissait de l'un de ses étranges rencards amoureux ; « mais alors, pourquoi avait-elle cette voix sinistre ? » me demandai-je.

La rumeur dont j'avais eu vent propageait que Pétronille exerçait son numéro de roulette russe dans une cave de la rue Saint-Sabin. Comme ma soirée du 20 mars était désormais libérée, rien ne m'empêchait de la passer dans la cave en question.

Au jour dit, j'arrivai sur les lieux vers 19 heures, vêtue en cantinière du Saint-Graal, ce qui ne me distinguait pas des autres clients.

« Pauvre Pétro, faut-il que tu manques d'argent pour accepter de travailler en un bouge si enfumé ! » pensai-je.

Dans un sac à dos étanche rempli de glaçons, j'avais emporté une bouteille de champagne, un joseph-perrier blanc de blanc millésime 2002, avec une flûte en chaque poche latérale. J'avais été bien inspirée, car à la carte des caves Saint-Sabin, gothisme oblige, ne figuraient que bière et hypocras.

Aucune affiche ne signalait de numéro de roulette russe, soit pour ne pas avoir d'ennuis en cas de descente de police, soit parce que cette histoire n'était que du pipeau, me dis-je.

Les voûtes de l'établissement devaient remonter aux catacombes, l'éclairage aurait convenu à un enterrement clandestin, les clients et les serveurs arboraient des vanités à chaque doigt – tout ici présageait la mort. L'angoisse s'installait en moi de plus en plus profondément.

Retentit alors une belle chanson que mon cerveau mit un certain temps à identifier – *Roulette*, de System of a Down. Les gens réagirent à ce signal en se taisant. Comme il n'y avait ni scène ni estrade, ce fut devant le bar que je vis arriver Pétronille, qui pour la première fois me parut grande, peut-être parce qu'elle était la seule à se tenir debout. Elle sortit un revolver de la poche de son jean et commença son laïus à haute et intelligible voix :

— Mesdames et messieurs, la roulette russe est un jeu qui ne se démode pas…

Déjà je n'écoutais plus. Foutreciel, c'était donc vrai ! La peur pure et simple ne tarda pas à succéder à la panique, de sorte que je me raidis jusqu'à la pétrification.

À l'intention de ceux qui auraient ignoré les règles, Pétronille ouvrit l'arme, montra le barillet vide, y plaça une balle unique, referma et fit tourner ce qui valait à cette pétoire le nom de revolver. Elle conclut son baratin par :

— Y a-t-il un volontaire dans la salle ?

Le public éclata de rire. Pas moi.

— On ne peut compter que sur soi, c'est toujours comme ça.

La chanson de System était terminée.

— Je vais à présent vous demander le silence.

Elle n'eut aucun mal à l'obtenir. On entendit tourner le barillet, ou du moins on crut l'entendre, tant on avait d'attention pour ce qui se déroulait. Pétronille posa le canon sur sa tempe et parla :

— Dostoïevski, qui avait été condamné à mort et ne savait pas qu'il serait gracié à la dernière seconde, raconte son expérience du peloton d'exécution, les instants qui s'allongent jusqu'au vertige, la beauté insensée des moindres choses, les yeux qui s'ouvrent enfin à ce qu'il faut voir. De là où je suis, je peux vous l'affirmer : il avait raison.

Elle appuya sur la gâchette. Il ne se passa rien.

J'allais tomber à genoux pour remercier la providence quand la jeune femme reprit :

— Dans les westerns, on appelle cet objet un six-coups. Je tirerai donc six fois. Plus que cinq !

Comme elle recommençait l'opération, un très lointain souvenir m'effleura : il s'agissait d'une vidéo qui avait circulé une dizaine d'années auparavant, *La Roulette russe sans peine*, ou quelque chose de cet acabit, dans laquelle un spécialiste enseignait le geste décisif, celui qui fait tourner le barillet de manière à choisir l'emplacement de la balle. Se pouvait-il que Pétronille ait appris cette technique ? Je l'espérais.

Elle appuya sur la gâchette. Rien.

— Plus que quatre, déclara-t-elle.

J'observai le mouvement qu'elle exerçait sur le barillet : il était parfait en ceci qu'on ne décelait aucun calcul. Je n'aurais pas la clef du mystère.

— Le canon trouve tout seul le chemin de la tempe, maintenant, dit-elle.

Elle appuya sur la gâchette. Rien.

— Plus que trois.

Même si elle avait eu accès à cette vidéo, la prise de risque de Pétronille n'en était pas moins gigantesque. Un prestidigitateur averti aurait pu commettre une erreur, à plus forte raison cette aventurière.

Elle appuya sur la gâchette. Rien.

— Plus que deux.

Il n'y avait que Pétronille à avoir conservé son sang-froid. La salle entière était en transe, et moi la première. Ce que nous éprouvions et exprimions par un silence accru, c'était un genre d'au-delà de la peur, un paroxysme étale – le temps n'avançait plus, chaque seconde devenait sécable à l'infini, nous étions tous Dostoïevski devant le peloton, c'était sur notre tempe que nous sentions la bouche du canon.

Elle appuya sur la gâchette. Rien.

— Plus qu'un.

Un éclair de compréhension me parcourut de la tête aux pieds : ce qui d'emblée m'avait rendue si proche de Pétronille, c'était cette sensation très précise, cette ivresse que faute de mieux on appelle goût du risque, qui ne correspond à aucune pulsion biologique ni à aucune analyse rationnelle, et que j'avais illustrée de manière moins spectaculaire mais non moins définitive en des circonstances peu racontables. Nous n'étions certes pas majoritaires, en cet âge d'or du principe de précaution, et nous nous comprenions d'autant mieux. Comment avais-je pu croire qu'elle exécutait ce numéro pour l'argent ? Et comment avait-elle pu affirmer qu'elle avait testé des médicaments dans un but lucratif ? Si Pétronille s'était mise et se mettait à nouveau à ce point en danger, c'était pour connaître cette exaltation suprême, cette dilatation extatique du sentiment d'exister.

Elle appuya sur la gâchette. Rien.

Comme la salle hurlait déjà, la jeune femme nous intima de nous taire et reprit :

— Ne croyez surtout pas que je me moquais de vous.

Et, sans faire tourner le barillet, elle visa une bouteille au sommet du comptoir et tira. Le coup retentit si fort que l'on entendit à peine le verre se briser.

Il y eut un tonnerre d'applaudissements. Resplendissante, Pétronille rejoignit la table où j'étais installée seule et s'assit à côté de moi.

— Bravo ! C'était magnifique ! exultai-je.

— Tu trouves ? dit-elle avec une feinte modestie.

— Et quelle manière originale de fêter tes trente-neuf ans ! Est-ce une allusion aux *39 marches* de Hitchcock ?

— Assez causé. Qu'est-ce qu'on boit ?

— J'ai ce qu'il faut, répondis-je en dégainant la bouteille de champagne.

Je remplis les flûtes et portai un toast à sa gloire. La première gorgée me subjugua : rien ne rehausse ce breuvage comme la roulette russe.

— Tu as failli boire sans moi, dit Pétronille.

— Tu m'as donné l'occasion d'appliquer l'une des devises de Napoléon, qui mettait toujours une bouteille de champagne au frais, pour après la bataille. « En cas de victoire, je la mérite, mais en cas de défaite, j'en ai besoin », disait-il.

— Et quel est ton verdict ?

— Tu la mérites. Bon anniversaire.

Comme d'habitude, j'avais parlé trop vite. Tard dans la nuit, un différend nous opposa au sujet de Dieu sait quoi, dont l'alcool exagéra l'importance. Nous remontions alors le boulevard Richard-Lenoir et Pétronille, à qui le caractère ne manqua jamais, glissa une balle dans le barillet qu'elle fit tourner à sa convenance. Elle posa le canon sur ma tempe et tira.

— Cette fois, ce n'est pas Marlowe qui trépasse dans une rixe de rue, dit-elle à mon cadavre.

Elle fouilla dans ma besace, trouva ce manuscrit qu'elle empocha et jeta mon corps dans le canal Saint-Martin.

Le lendemain était un vendredi, jour ouvrable. Par acquit de conscience, Pétronille apporta le manuscrit à mon éditeur.

— Il n'est pas bien long, lui dit-elle. Je reste dans les parages, vous le lisez et puis on en parle.

Pendant ce temps, elle s'installa dans mon bureau où, avec le sans-gêne qu'on lui connaît, elle eut une conversation téléphonique de deux heures trente avec Tombouctou.

Après quoi l'éditeur vint lui demander si ce n'était pas plutôt à la police qu'il fallait apporter mon manuscrit.

— Je vous laisse juge, répondit-elle.

Pétronille fila comme un chat et disparut sur les toits de Paris où, à mon avis, elle rôde encore aujourd'hui.

Quant à moi, au fond du canal, en bon macchabée, je médite et tire de cette affaire des leçons qui ne me serviront pas. J'ai beau savoir qu'écrire est dangereux et qu'on y risque sa vie, je m'y laisse toujours prendre.

PAPIER À BASE DE
FIBRES CERTIFIÉES

Le Livre de Poche s'engage pour
l'environnement en réduisant
l'empreinte carbone de ses livres.
Celle de cet exemplaire est de :
200 g éq. CO$_2$
Rendez-vous sur
www.livredepoche-durable.fr

Composition réalisée par Belle Page

Achevé d'imprimer en novembre 2015, en France sur Presse Offset par
Maury Imprimeur – 45330 Malesherbes
N° d'imprimeur : 204612
Dépôt légal 1re publication : janvier 2016
LIBRAIRIE GÉNÉRALE FRANÇAISE – 31, rue de Fleurus – 75278 Paris Cedex 06